les plaisirs
de la mélancolie

gilles archambault

les plaisirs de la mélancolie

petites proses presque noires

Quinze / prose entière

Collection dirigée par François Hébert

Maquette de la couverture : Roland Giguère

Les textes réunis dans ce livre ont été publiés sous une forme différente dans les journaux, revues ou magazines suivants : *Liberté*, *Cité libre*, *Maintenant*, *l'Actualité*, *Maclean*, *La Presse*, *Le Jour* et *Le Devoir*.

LES QUINZE, ÉDITEUR
(Division de Sogides Ltée)
955, rue Amherst, Montréal, Québec
H2L 3K4
tél. : (514) 523-1182

Distributeur exclusif pour le Canada :
AGENCE DE DISTRIBUTION POPULAIRE
(Division de Sogides Ltée)
955, rue Amherst, Montréal, Québec
H2L 3K4
tél. : (514) 523-1182

Copyright 1980, LES QUINZE, ÉDITEUR
Dépôt légal : 1er trimestre 1980, Bibliothèque nationale
du Québec
ISBN 2-89026-207-3

« Jean-Jacques est à Paris dans un cinquième étage, où il copie de la musique, soutient des paradoxes et jouit du plaisir d'être malheureux. »

Le Président de Brosses

(Lettre à Ch.-C. Loppin de Gemeaux, 13 mai 1772)

PRÉFACE

Ainsi donc, me voici pris au piège, et heureux qu'on me l'ait tendu. Après tant d'autres, je cède à la tentation de réunir en un livre des textes écrits au fil des années pour des journaux, des magazines et des revues. C'était au fond leur emploi tout naturel. La chronique a toujours été pour moi une façon d'être et de sentir. J'ai voulu m'amuser de mes travers, promener sur le monde un regard étonné. Je n'en croyais pas mes yeux en quelque sorte. La littérature des sociologues et des penseurs m'ennuie prodigieusement. J'aime le trait incisif, l'insouciance éveillée, la nonchalance feinte, la complaisance tellement appuyée qu'elle ne berne que les sots. En réalité, je n'ai consenti qu'à demi à la manie de l'anthologie, puisque j'ai accommodé mes proses à mon humeur du moment. Quant aux notes de la fin, d'une écriture plus libre, elles prouveront peut-être la complexité de mon insondable nature.

G.A.

HUMEURS

« On est bien tranquille, on écrit au jour le jour des chroniques pour les quotidiens, une nouvelle, parfois une préface... de petites choses, du travail à la main, si je puis ainsi dire... »

Henri Calet

Signatures

Il y a quelque temps, on m'a convaincu de participer à une séance de signature. J'ai commencé par résister. Timide, orgueilleux et myope, je courtise mes lecteurs de loin. Publier un livre, m'a-t-on représenté, est un geste public. Comment le revendiquer en restant chez soi ? La logique de la démonstration l'emporta sur mes réserves.

Nous étions trois écrivains qui, stylo à la main, attendions de pied ferme, chez le libraire, l'arrivée en masse de nos lecteurs.

Au bout d'une demi-heure, le brave homme se crut obligé de nous expliquer qu'au début les choses se déroulaient lentement. Les gens n'osent pas, font mine de regarder les étalages plutôt que d'affronter les créateurs que nous sommes. Surtout, il ne fallait pas désespérer. Des clients entraient pourtant qui faisaient emplette d'*Un homme et son péché* et d'un bel éventail de livres dits utilitaires. Au Québec, pensai-je, on ne s'intéresse aux écrivains que lorsqu'ils sont morts. Nous étions là, bien vivants, nous, le sourire aux lèvres, d'une bienveillance exemplaire. Nous ne l'aimions pas, le peuple, peut-être ? Toutes ces belles dédicaces que nous aurions pu trouver !

Une heure après notre arrivée en ces lieux, j'étais le seul à ne pas avoir cueilli son client. Je me sentais un peu tapineuse laissée pour compte. D'accord, mes amis n'avaient qu'un seul lecteur éventuel, mais ils l'avaient. Oh ! j'étais beau joueur, je continuais de sourire, mais profonde était mon humiliation. Le libraire choisit ce moment pour nous dire que, la veille, soeur Berthe, auteur d'ouvrages culinaires, avait attiré une foule enthousiaste dans les mêmes circonstances. Il s'en était fallu de peu pour qu'on n'épuise pas en un jour de vastes stocks. Devant moi se dressait, majestueuse, une pile d'exemplaires de mon roman. Pauvre petit peuple du Québec qui levait le nez sur les nourritures intellectuelles pour mieux s'empiffrer avec les autres !

Mon honneur fut sauf. Vers la fin de ces deux heures interminables, une dame d'une gentillesse inouïe, et d'un goût exquis, me demanda si je ne consentirais pas à poser ma griffe sur mon noble roman. Si je consentais ! Je l'aurais couverte de dédicaces ! Dirai-je jamais à mes deux amis que la cliente avisée est une amie de ma femme ?

Adolescence évanescente

Je ne suis pas de ceux qui croient que la jeunesse a toujours raison. D'avoir raison ou pas n'a du reste pas tellement d'importance. Je croirais plutôt que la jeunesse est ferveur et que toute la vie n'est qu'une lutte pour que subsiste en soi la plus grande part possible de cette ferveur. Autrement, c'est la mort.

La mort est partout. La laideur qui vous environne, la hargne, l'ambition bête, la sottise, l'agressivité, les modes, l'appétit de pouvoir. Se retenir souvent pour ne pas vomir, et pas toujours à cause des autres. Le cancer est en soi, bien vivant, les occasions de geindre sur la nature humaine viennent souvent de ce regard que vous posez sur vous. Se moquer de soi pour ne pas se détruire tout à fait.

À l'adolescence, époque de plus en plus lointaine, tout était tellement net. Vous étiez d'une pièce, vous refusant aux compromis, trouvant que le monde était atroce. C'est alors que vous étiez vrai, sans tellement de mérite, vous bénéficiez d'une grâce que la nature accorde comme ça, sans y penser. Après, il faut un peu d'effort.

L'effort de ne pas vous laisser gruger par l'argent, par la lutte pour la survie, par l'angoisse de la mort, par la lassitude de ces gestes répétés qui dissimulent si mal leur inutilité. Le temps vous mine, quoi que vous disiez ou pensiez, la nature vous trahit, vous transforme et vous pousse vers le conformisme. Que vous luttiez ou non, vous êtes engagé dans le tourbillon. On ne vous a pas demandé votre avis avant de vous y plonger. Pas plus que vous n'avez demandé l'avis des enfants que vous avez créés dans le délire. En pareille occurrence, comme vous, ils auraient eu la faiblesse de souhaiter naître.

Ne jamais céder de terrain sciemment dans la lutte contre l'engourdissement, demeurer intact dans cette partie inaltérable de l'être, ne pas se transformer en robot prétentieux, repousser les frontières de la mort autant que faire se peut. Seule la mort biologique doit nous faire reculer en ce domaine.

Je ne connais, quant à moi, rien de plus triste que ces hommes qui continuent de se mouvoir autour de nous, vagues fantômes des adolescents que nous avons connus.

Ces livres qu'on lance

Lorsque les humains, mes frères, s'agglutinent, je me retire. J'aimerais, moi aussi, avoir l'âme grégaire et promener, toute jovialité dehors, un sourire éternel et conquérant. Différent fut mon destin. Heureusement, l'humanité peut compter sur d'autres que moi pour mener ses fêtes triomphantes.

Quel enrichissement, par exemple, que les lancements littéraires qui saluent l'arrivée de l'automne ! La plupart du temps, l'auteur est là, entouré de sa femme et de ses amis. Parfois rayonnant, parti pour une gloire de deux cents pages et autant d'exemplaires vendus, ou au contraire craintif, apeuré comme un marié qui aurait engrossé la fille du maire alors qu'il aimait d'amour fou la belle-soeur du conseiller municipal. Dans certaines situations privilégiées, on rencontre aussi la mère du prévenu, ses soeurs, ses enfants et, tapie dans un coin, une vague deuxième femme. L'auteur vit alors intensément. Que sont à côté de ces moments de grâce les joies de la création ?

Il y a aussi les habitués de ces sortes de réunions qui prennent l'apéritif à l'oeil deux ou trois fois par semaine. Infortunés journalistes, auteurs de la maison ou victimes-nées, ils perdent leur temps avec une belle générosité.

Ne nous attardons pas trop longtemps devant l'éditeur rayonnant de paternalisme qui se comporte comme si ni le Conseil des Arts ni le ministère des Affaires culturelles ne le couvaient de leurs ailes lourdes de dollars ; ne paraissons pas remarquer que le héros de la fête se gratte le crâne dégarni pour trouver une dédicace dépourvue de fautes d'orthographe. Déplaçons-nous plutôt vers un lancement réussi, fréquenté, bruyant.

C'est ainsi que je les aime. On s'y sent important, on y rencontre des ministres, des hauts fonctionnaires, même des gloires de nos lettres. Le beau spectacle alors d'assister à tant de poignées de mains, tant de sourires échangés, tant de rires en cascades, tant de bourrades amicales. On frémit un peu pour le tapis maculé, on trouve peut-être que l'alcool ne se prête qu'aux riches, mais comme il est consolant de voir que l'humanité ne garde pas longtemps rancoeur à un homme en poste et que, tout compte fait, une foule se franchit rapidement pour qui veut absolument serrer la main d'un carriériste devenu grand émir de la démocratie capitaliste ! Ce n'est pas à nous qu'on fera croire que ces gens ne s'aiment pas. Ils s'étreindraient jusqu'à la mort si on ne les retenait pas.

Je ne me rends qu'à un lancement par année — il faut mesurer ses plaisirs — mais dites-
moi où irai-je donc cette saison ?

Oui, il y a les vacances

Aucun mot n'est aussi dénué de sens pour moi que celui de « vacances ». Rien par exemple ne me semble aussi sinistre qu'une plage fourmillante de baigneurs.

Prendre des vacances veut dire peut-être s'arrêter. Je crains toujours de ne pouvoir repartir. Cette impression tient, j'imagine, pour une bonne part au statut social privilégié qui est le mien. Petit-bourgeois de la plume et du magnétophone, je ne sens pas le besoin de marquer des haltes dans ma vie. Pas de cette façon, en tout cas. Les étapes de cette sinistre aventure viennent tout naturellement, lorsque je suis en pleine action. Point n'est besoin de ralentir pour voir passer les années. Mon sentiment serait tout autre si tous les jours je raturais dix heures de ma vie au profit d'une quelconque machine. J'ai déjà su ce que signifiait l'épuisement physique, mais je l'ai oublié.

Je n'ai pas le goût de la détente. Besogneux comme je le suis, toujours à la recherche d'une occupation, je crains plus mes besoins de tendresse que le travail qui apaise. Toute découverte me paraît bonne à faire, et cela avec la certitude que rien ne sert à rien en dernière analyse, que bientôt on m'enterrera et que tout aura été inutile. Si je m'active de la sorte, ce n'est surtout pas par espoir de réussite sociale. J'abhorre les arrivistes. Issu d'un milieu ouvrier, je sais trop les injustices, les inégalités qui persistent en sa défaveur pour être candidat à la course aux honneurs. Tant bien que mal je me débrouille avec ma mauvaise conscience, croyant encore à ce qu'il faut bien appeler la culture et à deux ou trois idées fondamentales. Il m'arrive même parfois de ne me sentir que floué au milieu de millions d'êtres floués, de croire que nos différences sont moins grandes que notre misère. Jusqu'à la fin, je garderai ce fond de pessimisme qui me porte depuis l'enfance. Je suis très ému à la pensée que le jeune Nizan croyait que le communisme réussissait dans les pays socialistes à délivrer les individus de l'angoisse de mourir.

Partant de cette certitude de la mort, il n'y aura jamais pour moi de vacances.

Tout ce qui ressemble à une évasion hors de soi me paraît détestable. Je pense qu'il ne faut jamais se quitter. L'amour même n'est que l'approfondissement de son être par l'autre. Je me méfie de ceux pour qui l'alcool ou la drogue sont recherche de l'oubli. Au contraire, il m'a toujours semblé que le recours à l'eau-de-vie ou aux stupéfiants procurait l'occasion d'une descente dans des régions que l'on ignorait.

En cette période de vacances, je m'occupe à vivre. Comme d'habitude. Cette activité m'intéresse encore, malgré tout, pour l'instant.

.

La vérité, toute la vérité

Il n'est pas rare du tout que l'on assiste à ce curieux phénomène d'un livre québécois que l'on vante à l'envi dans tous les journaux et dont on se dit pourtant, en baissant la voix, qu'il est illisible, prétentieux, ridicule, pas écrit du tout, etc. Ainsi le livre a deux destins. Une vie publique brillante de trois à quatre mois et une vie occulte honteuse et cachée qui perdurera.

N'aimant pas à faire de la peine aux gens, fussent-ils écrivains, je ne souhaiterais pas que les critiques s'acharnent sur un pauvre auteur et lui montrent sans ménagement l'échec de son entreprise. Très peu pour moi, les mises au ban, les accusations sentencieuses et autres démonstrations de paternalisme. Mais j'aimerais quand même que ceux qui font métier de policiers littéraires aient le courage de dire que l'ouvrage de l'illustre Archimède n'aurait pas dû être publié ; que les derniers romans d'Amable vous tombent des mains ; que les poèmes métaphysiques de la sublime Anastasie sont aussi ennuyeux que son visage, un jour de pluie, en automne, à cinq heures. Oui, c'est ce que je demande à ceux qui par métier déposent des contraventions sur les pare-brise. Ce n'est pas parce que Théodule a milité dans les mouvements nationalistes qu'il faut le ménager ; ce n'est pas parce que Bidoche verse la moitié de son salaire aux déshérités qu'il a droit à plus de compréhension ; ce n'est pas non plus parce que Tancrède a été sacré prématurément gloire littéraire de notre jeune pays qu'il mérite à coup sûr la vénération.

Toutes ces pratiques relèvent de la lâcheté, du mécénat déguisé. C'est à l'État qu'il appartient d'aider les écrivains dans le besoin. Les critiques n'ont qu'à rendre compte.

Il est donc bien faible, ce romancier qui n'a pas le droit à la vérité. J'entends bien sûr la vérité toute subjective de ce lecteur privilégié qu'est le critique. Et si je souhaite de tout coeur que les pouvoirs se penchent avec civilité sur le sort d'un poète qui boucle mal ses fins de mois, je préférerais quand même qu'ils s'y livrent sans tenter en tout cynisme de lui faire croire, et de me faire croire, qu'il est un grand écrivain.

En édifiant de la sorte de fausses gloires, on oublie le lecteur éventuel, que l'on abuse avec un sans-gêne remarquable. On contribue ainsi à l'édification d'une littérature qui a plus de statues (érigées le long de routes peu fréquentées) que d'écrivains vivants. Rarement littérature aura été aussi « encouragée » que la nôtre. Les textes foisonnent qui nous vantent nos écrivains. Plus rares, beaucoup plus rares, sont ceux qui les lisent pour des raisons non professionnelles. Quant à moi, j'ai toujours tenu pour méprisable tout ce qui ressemble à une politique systématique d'encouragement. Que des hordes de cégépiens se voient imposer la lecture d'un livre parce que québécois, voilà qui ne me rend pas fier. Je ne souhaite dans cette aventure compromise de la littérature québécoise qu'un peu de dignité.

Un ami

Je n'ai connu l'amitié qu'à l'adolescence. Enfant, j'étais solitaire. Le temps que je ne consacrais pas au jeu s'écoulait dans la rêverie. Préférant déjà les retraites inexpliquées à la tyrannie des groupes, j'ai très tôt développé une habileté étonnante à me défaire de liens trop compromettants. Vers mes dix-sept ans m'est venue pourtant une insupportable impression de tristesse permanente qui m'a fait quitter ma tanière. Depuis lors, j'ai recherché l'amitié.

Que l'on m'entende bien, je ne suis pas de ces êtres que la perspective d'un mois de solitude absolue effraie. J'aime les soliloques, mais je sais aussi la misère extrême de ceux qui sont condamnés à des monologues qu'ils n'ont pas choisis. Dans les grandes villes, des milliers d'hommes et de femmes paieraient cher quelques minutes de conversation. N'ayant pas à mendier une présence, je fais partie de ceux pour qui la solitude est un luxe. Je me réfugie dans le silence comme d'autres font des croisières autour du globe. Plus j'avance en âge, plus je renoue avec l'enfant que j'étais. J'aime cette façon d'être de ce monde, sans y être tout à fait. J'ai perdu le goût de toute réunion quelle qu'elle soit.

Par timidité, certes, par exigence aussi, je me suis toujours défié de ceux qui parlent d'amitié sur un ton tapageur, comme si l'humanité leur devait bien cela. Les hommes qui se disent couverts d'amis me font peur, je crains toujours qu'ils ne veuillent ajouter mon nom à leur liste. En cette matière, il convient d'être pudique. On se souvient trop de ses dénuements successifs, de ses moments de grande misère pour se vanter de quoi que ce soit. N'effaroucher personne par des témoignages bruyants. Mieux vaut pour moi la discrétion, l'étonnement émerveillé de constater qu'après dix ou vingt ans un homme ou une femme consent encore à vous écouter.

Combien ai-je d'amis ? Quatre ou cinq. Qui ne sont pas du même gabarit, si l'on veut, et qui ne se rencontreraient peut-être pas avec plaisir. Je ne me préoccupe pas toujours avec le même degré d'intensité de l'idée qu'ils semblent avoir de moi et, en revanche, je suis parfois un ami très distrait, un ami qui ne pose pas les bonnes questions. Mais je sais prêter l'oreille, donner au moins l'impression que je suis à l'écoute. Il paraît que cette qualité est précieuse. À la fin de mes jours, je pourrai dire que j'ai eu un joli cortège, que j'ai pu m'épancher auprès d'hommes, et de femmes, plus intelligents et plus sensibles que moi. J'ai eu cette chance de ne pas être privé de voix aimées. Parfois, je les percevais à peine, tellement grande était ma dispersion. Il m'est arrivé de ne pas être disponible à des moments importants, d'être un peu lâche. Ou encore de saisir un trouble chez l'autre, de vouloir l'apaiser, mais d'avoir la certitude qu'on ne souhaitait pas que j'intervienne. Le seul souhait que je formule, c'est que, jusqu'à la dernière heure, il se trouve quelqu'un qui consente, quelques fois par année, à prêter l'oreille à cette voix que je ne reconnais pas toujours, la mienne.

Un homme en mouvement

Comme notre homme affectait d'être porté vers la culture populaire, qu'il émaillait son discours de jurons, qu'il portait parfois le jeans prolétarien, qu'il ne faisait pas mystère en public de son goût immodéré pour les hot dogs de la rue Saint-Laurent, je fus tout étonné lorsque pour la première fois je fus reçu chez lui à dîner. Sa femme, charmante du reste, avait mis les petits plats dans les grands. On affectionnait céans les mets les plus exotiques tels que les plus grands restaurants n'en offrent qu'à prix forts. J'étais doublement embêté. Comment disposer des couteaux, fourchettes et cuillers comme un homme du monde ? Comment aussi expliquer le dualisme de cet être ?

Certes, je savais que la cohérence n'était pas son fort. En un mot, il réglait le sort de Proust ou de Balzac. La musique classique était périmée ; la France n'avait plus d'écrivains valables ; le cinéma américain était mort ; pendant trois mois, le maoïsme lui avait semblé être le remède à tous nos maux, il le trouvait depuis tout à fait nul. Ces jugements à l'emporte-pièce m'avaient toujours paru sots, mais je songeais vite à autre chose. Il se vantait si fort de son inculture qu'il se plaçait à mon avis hors de tout champ de discussion. Qu'il dise pis que pendre de la peinture impressionniste ou de la gravure chinoise, qu'il décrète que les bandes dessinées de *La Presse* valent bien Homère, je souriais, et c'était tout.

Mais de le voir à table, un verre de chablis à la main, me donna un choc. Était-ce là le vrai visage de cet homme qui pourfendait, chaque fois qu'il en avait l'occasion, les bourgeois dont il faisait partie, mais qui courtisait avec tact tout ce qui faisait profession d'être chroniqueur littéraire, universitaire ou pourvoyeur de récompenses officielles ? Mais avait-il un vrai visage ? Remarquez qu'il ne flattait pas sottement ces hommes en poste, il les interpellait, les prenait à partie avec ce qu'il fallait d'arrogance. Ses vraies fureurs, il les gardait pour des personnes moins utiles, les chroniqueurs de revues d'avant-garde, les écrivains solitaires, les fantômes ecclésiastiques qui sévissaient jadis.

Je parle de lui au passé. Je ne sais plus ce qu'il deviendra, lui qui se transforme tous les trois ans. Il est toutefois peu probable que je vérifie sur place, entre la poire et le fromage. Je me contenterai d'en prendre connaissance dans un texte parfaitement ridicule qu'il donnera sûrement, un jour. Et puis, il écrit fort joliment, à la façon d'un journaliste de *L'Express* naturellement empreint d'un esprit voltairien et qui aurait assisté à deux pièces de Barbeau. C'est, si vous voulez, le hot dog de la *Main* assaisonné à la moutarde de Dijon !

Libraires, avez-vous donc une âme ?

La première fois que je suis entré dans une librairie, j'avais seize ans. Ou dix-sept. Retenez en tout cas que l'aisance, la sûreté de soi n'était pas dans mon berceau. À mon air, on aurait juré que j'allais porter au clou les bijoux de ma grand-mère alitée pour assouvir de jeunes mais exigeantes passions. J'étais loin de mon quartier et des romans à dix sous que vendait le restaurateur du coin. Aussi bien le dire tout net, je tremblais. D'autant que la vendeuse qui m'accueillit avait un air rébarbatif. Je n'avais pas l'air d'un client. En toute panique, je m'emparai d'un livre que je vis sur une table. C'était *La Vie prodigieuse d'Honoré de Balzac* de René Benjamin, que je payai un dollar quatre-vingts.

Petit à petit, je me suis acclimaté. La vendeuse acariâtre de chez Pony tomba malade ou se fit bouffer par un lion, je ne la vis plus. Sa remplaçante me laissa bouquiner à l'aise. Cette liberté me rendit inquiet. Tous ces livres qui me manquaient, tous ces chefs-d'oeuvre que je ne pouvais me procurer, faute d'argent ! Les deux ou trois tentatives que je fis pour en faire l'acquisition sans payer me découragèrent. Et puis j'ai toujours eu le sens de la propriété.

Les années passèrent. J'avais alors tout l'argent requis pour acheter la plupart des livres que je voulais, en édition courante évidemment. Cependant, seuls les miens m'intéressaient. Dans les rayons de la librairie Pony, devenue librairie Hachette, dans des présentoirs chez Classic Book Shop, on trouvait de tout, Jacques Godbout, Malraux, Sartre, Martin Gray. Où donc étaient mes romans ? À peine si je découvrais à force de patience et de kilométrage un exemplaire ou deux d'une oeuvre passée, jaunis, défraîchis. J'avais beau les placer devant une pile de romans d'Aquin — après tout, voler un riche, ce n'est pas voler —, rien n'y faisait. À ma visite subséquente, mon valeureux bouquin avait regagné son repaire.

Il a fallu prendre les grands moyens, ne plus aller en librairie. Pendant deux ou trois ans, j'ai fui ces chambres de torture. De temps à autre, j'entendais dire qu'il existait encore au Québec de ces salles bien éclairées où l'on disposait des livres dans l'intention de les vendre, mais je me tenais loin. Je commandais par catalogue, j'envoyais mes enfants munis d'une liste, je fréquentais les bouquinistes, et, de toute façon, mes amis écrivent beaucoup et m'inondent de leurs productions.

Pourtant, l'autre jour, emporté par ma curiosité, j'ai mis fin à ma retraite. J'avais tout à coup soif de culture, je voulais humer la senteur du papier imprimé, tâter des reliures. Sans en parler à personne, l'air furtif, je suis entré dans un lupanar de la culture. Cela se passait dans un centre commercial. Entre une boutique de vêtements pour enfants et un Steinberg, se dressait, majestueuse et pourtant humble, une librairie. Des livres, il y en avait partout, en piles, dans des corbeilles, sur des étagères, à terre. Que de couvertures affriolantes, de couleurs vives ! Que c'était beau, noble, pour tout dire, culturel ! Je n'avais pas encore vérifié que ces jaquettes camouflaient des livres de recettes culinaires ou d'initiation au bricolage ; que les couvertures pelliculées coiffaient des romans de Henri Troyat, des confidences parlées de Simenon... Du merveilleux écrivain, responsable de ce texte, rien ! On a beau se dire qu'on écrit pour la postérité, on en prendrait quand même un peu de cette foule qui se dirige vers les magasins d'alimentation. C'est peut-être depuis ce jour que j'ai formé le projet d'un roman où le personnage principal serait un libraire, peu sympathique...

Les affres du sabbat

Il est des douleurs qui émeuvent. Si vous quittez à peine l'hôpital, on aimera que vous exhibiez vos plus authentiques plaies. Si elles suppurent, on applaudira. La plus entière sympathie vous est acquise. Un deuil, une hécatombe, une défaite électorale, voilà des épreuves qui se partagent bien. Mais quand donc s'apitoiera-t-on sur le sort de l'écrivain québécois qui, chaque samedi, promène un regard fiévreux mais honnête sur les pages littéraires des journaux ?

Dans son état normal, un écrivain a de l'honneur. Il n'ira pas chez un voisin quêter une escalope ou mendier un rôti. Jamais, au cours d'une interview, il n'admettra sa vulnérabilité. Cela manquerait tellement de noblesse. C'est à croire qu'il se suffit à lui-même, que son oeuvre le nourrit. Gide ne disait-il pas que les chiens aboient pendant que la caravane passe ? Il n'est jamais sûr du nombre de chameaux qui forment sa suite, mais il n'avouera jamais à la population son hebdomadaire inquiétude. Il a de la tenue.

Et pourtant, il s'est levé à six heures pour accueillir le porteur. Six ou sept fois, il a ouvert en vain la porte, il a songé à faire des représentations auprès du *Devoir*. Dès neuf heures,ses enfants devront assaillir le marchand de journaux dans l'espoir de mettre la main sur *La Presse*. Et que fait donc ce beau-frère qui doit lui lire de Québec la critique du *Soleil* ? Enfin, le bruit du journal glissé dans la boîte aux lettres ! En robe de chambre, bravant une fois de plus le froid de janvier, il cherche avec fébrilité le fameux cahier qui le décevra. On ne dit pas les choses qu'il faudrait ; on les dit trop peu ; on se tait. Pourquoi donc ces articles sont-ils rédigés par des ivrognes, des impuissants, des universitaires, des demeurés, des bourgeois ? Ah ! s'il était né il y a dix ans, alors que le talent ne passait pas inaperçu, alors que les vraies valeurs, etc.

Lorsque la ronde des prix commencera dans quelques mois, qui donc signalera à l'attention des jurés ce roman qui vient du fond de ses entrailles ? Ce n'est pas cette année qu'il pourra serrer la main du ministre de la culture ou du maire de Montréal, ni refuser avec fierté le prix du Gouverneur-Général ; ses livres seront plus que jamais introuvables ; sa maman sera moins fière de lui ; il aura raté sa chance d'être un porte-parole de l'idéologie dominante.

Ce constat d'échec s'épanouit dans une âme exquise et pure pendant qu'autour de lui on s'affaire. Les enfants font japper le chien, l'épouse parle au téléphone, l'auto ne part pas.

Délaissé par ceux qui ont mission de l'aider —
on devrait choisir les critiques dans les cliniques
de donneurs de sang —, tenu pour une valeur
négligeable — on n'enseigne même pas les livres
de votre père à l'université ! —, il n'a plus que le
recours aux paradis artificiels... ou aux mots
croisés du samedi.

Pour moi, rien que pour moi

Je veux bien qu'il existe des êtres dont le coeur ne bat qu'avec celui du grand nombre, qui à Noël mangeraient du sapin et à Pâques poseraient des lampions sur des lapins en chocolat. Moi pas. Porté par mon individualisme, je serais plutôt du genre à boire du saké à Moscou et de la vodka à Sainte-Anne-de-la-Pérade. Tout ce qui risquerait de me rappeler des choses à faire parce qu'il convient de les faire, tout ce qui tient de rites à accomplir ou de diktats à observer m'horripile irrémédiablement. Aucun parti politique n'a eu ou n'aura mon adhésion, inconditionnelle ou pas.

J'ai horreur du troupeau, quel qu'il soit. À moins que je ne l'aie moi-même choisi. Point pour moi de voyages organisés, de croisades pour l'écologie, la libération des enfants ou la mise à la retraite des zouaves pontificaux.

Les traditions, les modes, je suis pour. Mais pas n'importe lesquelles. Les miennes. Par exemple, je serais plutôt un nostalgique, retournant sur les lieux déjà visités, recherchant sur les arbres des coeurs transpercés de flèches, m'inquiétant de la démolition d'une vieille gare. Tout se passe comme si j'avais mon patri-

moine à moi, mes modes à moi et que je ne pouvais pas supporter de confondre mes émotions
intimes avec ces idées impersonnelles que nous
imposent l'air du temps, les idéologies et les
conventions. Ce n'est pas à la fête des Mères que
j'aime mieux la mienne, et le 24 juin n'est pas le
signe pour moi d'un plus grand amour du Québec. Mon individualisme est tout à fait anachro-
nique, mais je ne fais rien pour m'en défaire. Ce
qu'il peut être enivrant de se sentir étranger au
monde ! On a toujours l'impression d'être en
voyage. Nos contemporains deviennent peu à
peu tellement exotiques dans leurs différentes
uniformités que je ne me lasse pas de les voir
prendre tous les trains à leur portée. Au fond,
ce qui nous sépare, ce sont les locomotives !

Il y a toujours trop de monde

L'autre jour, un ami écrivain vint me dire en rougissant comme une infirmière à son premier avortement qu'il avait accepté de participer à une séance de signature. Une vaste séance de signature à l'occasion d'une quelconque foire. Son dernier roman venait de paraître, son éditeur croyait que tous les moyens étaient bons pour faire mousser les ventes. Il avait fini par accepter de guerre lasse. Pas du tout sûr que je serais d'accord, il ne me dévoila l'affaire que par touches successives. Mais je fus compréhensif. Après tout, l'histoire littéraire ne s'écrit pas sans accommodements. Est-ce prostituer son art que de rencontrer des lecteurs, trop souvent anonymes ? Après trois heures de conversation, mon ami n'était pas entièrement convaincu. Moi non plus.

Je le voyais, lui, la gentillesse et la discrétion mêmes, tenu de serrer des mains inconnues, de rire à des incongruités et de trouver des dédicaces qui ne lui fassent pas honte par leur banalité. Je le voyais, et j'étais par avance malheureux. Comment se débrouillerait-il en présence des organisateurs de la fête, tous plus près des puissances politiques que des poètes et des romanciers, tous plus aptes à préparer des combines qu'à lire le premier chapitre du livre de mon ami ? Je me retenais de lui dire que les kermesses de cette sorte sont plutôt le fait des Bazin, Cesbron et compagnie que de Michaux ou de Leiris. C'eût été indécent. Mon ami avait trop mauvaise mine, et qui me disait que Michaux Henri n'était pas un habitué des lancements très parisiens ?

Au septième verre, car il buvait pour se donner contenance, il me chuchota : « Tu ne trouves pas que je deviens arriviste, au moins ? » Je l'assurai qu'il n'y était pas du tout. Je ne l'accusais de rien. Bien au contraire, je le croyais manipulé. S'asseoir pendant une heure ou deux à une table, attendre d'éventuels lecteurs, faire l'épicier pour que des grandes gueules de la culture officielle en tirent tout le profit, voilà certes qui n'était pas le fait d'un carriériste. Ce raisonnement que je voulais rassurant l'ébranla. « À ma place, tu n'y irais pas ? » parvint-il à me demander, rouge d'émotion et de whisky. Mon silence fut beau et éloquent.

Cela n'empêcha pas mon ami de se rendre à cette fête de l'esprit et de la politique en compagnie d'une bonne dizaine d'écrivains. Il y remporta, à ce qu'il paraît, un étonnant succès. Son stand fut le plus couru, on ne lui posa aucune question sotte, les officiels ne lui quémandèrent pas d'autographes et au moins cent de ses livres trouvèrent acquéreurs. La moralité de cette histoire ? Premio, mon ami n'est pas aussi timide qu'il le croit ; deuxio, les gangsters de la culture ont besoin de truands pour continuer leurs opérations ; troisio, les politiciens adorent les écrivains dociles qui enrichissent le patrimoine ; quatrio, il y a encore sur terre de bonnes personnes qui font la charité ; cinquio, je suis un incorrigible misanthrope, la foule me fait peur, je ne parle pas aux inconnus, je crains la fumée des cigarettes, les discours, les fêtes, etc.

Éloge de l'extraordinaire

Veut-on qualifier l'homme de la rue, on parle de l'*homme ordinaire*. Comme si ce dernier n'avait pas suffisamment à redire de la vie. Non seulement il n'a pas sa photo dans le *Financial Post*, ne peut pas déjouer impunément le fisc, bénéficier de contrats gouvernementaux ni se livrer au sport de la spéculation immobilière, mais il doit aussi supporter qu'on l'affuble de cette épithète humiliante !

Peu me chaut que cette expression soit à la mode, qu'elle doive son origine aux motifs les plus nobles, elle m'exaspère. Si j'étais ouvrier et que mon cégépien de fils, un soir de grandes confidences, me tapait sur l'épaule en me disant que ce sont des gens ordinaires comme moi qui ont raison, que je ne suis pas très fortiche mais qu'au moins je suis un vrai, un authentique, je me retiendrais à peine de l'abreuver d'injures. Les attitudes protectrices, on n'en a que faire, que l'on soit boueur, curé ou madame dans un boxon. Je lui représenterais, à mon rejeton, que toute ma vie j'ai tenté de chasser l'ordinaire. « Quand j'ai rencontré ta mère, ce ne fut pas un moment ordinaire. Pendant des semaines, je n'ai pas dormi. Puis tu es venu. Il n'y avait rien d'ordinaire dans les sentiments que j'ai éprouvés, la première fois que je t'ai touché. Pour moi, tu n'es pas un garçon ordinaire, je suis émerveillé chaque fois que je te vois. »

Mon fils comprendrait, j'espère, qu'on ne peut réduire les autres à l'ordinaire que si, fort de sa propre médiocrité, on se juge supérieur.

C'est le lot d'à peu près tout le monde de vivre une vie cachée, sans éclat. Il n'y a pas de quoi en faire une histoire. Et je crains comme la peste tout ce qui peut ressembler à ce « né pour un p'tit pain » qu'on nous ressassait à l'école dans le quartier de mon enfance. Le misérabilisme, c'est à peine bon pour les intellectuels qui se veulent « populaires », ces nouveaux profiteurs du peuple.

Il faut prôner l'extraordinaire, jusqu'à ce que mort s'ensuive.

Monuments

À d'autres époques de l'histoire, on élevait des monuments aux grands hommes. Maréchaux, découvreurs, plumitifs dont l'inspiration saine pouvait servir aux écoliers, musiciens auteurs d'hymnes patriotards, missionnaires en pays lointains et forcément barbares, tous avaient droit à une statue de bronze. À ceux qu'on admirait particulièrement, on offrait même la compagnie d'un cheval, d'un fusil, d'un parchemin et de deux ou trois Indiens. Cette période est bien révolue. Qui d'entre nous peut espérer avoir un monument à sa mort ?

Il est facile d'en faire des gorges chaudes, mais j'estime que notre malheur actuel en tant que peuple vient de là. La noble tradition des statues pourrait servir d'incitation à la vertu chez nos députés, par exemple. Croyez-vous qu'ils songeraient aux pots-de-vin s'ils avaient la quasi-certitude de passer à la postérité en position équestre ? Notre âge de bronze n'est plus, nous avons celui de l'asphalte.

Les grands hommes qui ne peuvent puiser dans la caisse inépuisable des fonds publics sont assaillis par des tentations d'un autre ordre. Ils n'hésitent pas, s'ils sont écrivains, à publier leurs confessions les plus intimes ; s'ils sont chanteurs, à exploiter autant que faire se peut leur clientèle d'enfants de douze ans ; s'ils sont technocrates, ils n'auront de cesse qu'ils n'aient plongé le plus d'êtres humains possible dans des expériences coûteuses et sans lendemain.

Que veulent ces gens ? Une statue, rien de plus. Ceux d'entre eux à qui j'en ai touché mot sont tous d'accord. « Donnez-nous notre monument ! » crient-ils tous en choeur. Certains, plus précautionneux que les autres, parcourent même Montréal en quête d'endroits propices. Les modestes se contenteraient d'une statue, grandeur nature. Quant au cheval, qui sait ? La générosité publique n'ayant pas de bornes. Je rêve déjà du jour où ma ville sera couverte d'obélisques, de dolmens, de panthéons et de totems. Qui alors voudra se donner la peine d'aller à Paris, je vous le demande ?

Si certains de mes lecteurs songeaient à m'élever un monument, funéraire ou non, de bronze ou de pierre, qu'ils sachent que les souscriptions publiques prennent un temps fou par les temps qui courent et qu'il faut compter avec les grèves, les lenteurs administratives, les caprices du climat, ma crainte des honneurs et l'effet corrosif des racontars. Pour ce qui est du lieu que je choisirai, je n'en peux rien dire pour l'instant. On a de la retenue, quand même !

Maman, est-ce dangereux, un intellectuel ?

Est-il destin plus onéreux que celui de vivre sa vie déguisé en intellectuel québécois ? Je ne le crois pas. Et j'admire les téméraires qui osent se réclamer de cette appellation non contrôlée et qui portent bannière. À moi qui suis à peine écrivain, et dans mes temps libres en plus, cette prétention apparaît un peu comme de l'inconsé-quence. Car enfin, les ignares de tout acabit, politiciens, éditorialistes, agitateurs de tout poil les adoptent comme cibles avec une régularité déconcertante. Au point que même un pacifiste indolent comme moi se sent obligé de faire cau-se commune avec ces guerroyeurs de la plume.

En plus d'être injuste, cette attitude est bien exagérée. Car, en règle générale, c'est gen-til, un intellectuel québécois. On veut nous les faire passer pour des êtres méchants, agressifs, machiavéliques, grossiers, ennemis de nos tradi-tions. Allons donc ! Ces gens sont d'ordinaire de bien braves individus qui passent le plus clair de leur temps dans leur cuisine transformée en ca-binet de travail et dans des réunions qui n'ont rien d'occulte, où ils palabrent en toute virtuosi-té.

Quels crimes, au fait, leur impute-t-on ? Bien embarrassé qui voudrait le préciser. Je pense bien qu'il s'agit vaguement d'avoir cru exprimer des idées ou du moins de faire profession dans un métier qui normalement suppose la capacité d'émettre des opinions.

N'étant pas très versé dans l'histoire des idéologies, je ne sais pas bien si on a raison d'évoquer si souvent le vocable de « pseudo-intellectuels ». Très expéditive, efficace, cette formule dispense de toute analyse, de tout approfondissement. Elle vous classe son homme rapidement, sans espoir de révision. Une fois pseudo, vous l'êtes pour la vie.

Mais pourquoi les intellectuels d'ici sont-ils toujours des pseudo-intellectuels ? On n'aurait peut-être pas le droit de s'en payer de vrais ? Mais sont-ils au fond plus pédants, plus chatouilleux de leur renommée, plus soucieux de celle des autres que les écrivains, mes confrères, par exemple ? Je pose la question. Et ne saurais y répondre, ne connaissant que si peu d'intellectuels, vrais ou faux. Certains de mes amis qui frayent dans ces milieux m'assurent cependant que ce sont des êtres exquis qui ont peur du sang et que la plupart d'entre eux accepteraient volontiers d'être admis à dîner dans une grande famille.

Tout simplement

Un jour, comme ça, vous présentez un manuscrit à un éditeur. Au bout de quelques semaines, il vous écrit qu'il en fera un livre. Étonné, ravi, vous franchissez avec allégresse et appréhension les étapes de la correction d'épreuves, des dédicaces, des comptes rendus. Vous voilà promu écrivain. La société est un peu volage, qui a décidé que cet alibi de deux cents pages vous donnait droit à des prérogatives de petit démiurge. Tout petit. Mais enfin, vous n'allez pas la transformer.

Et des livres, vous en écrivez à peu près un tous les deux ans. Dès que vous vous doutez que l'écriture sera pour vous un geste plus que mécanique, vous cédez à cet automatisme. Que cela ne serve en définitive à rien puisque le néant vous guette, comme tout le monde, voilà qui ne vous inquiète pas tellement. Bien au contraire, vous cherchez une explication, que vous savez inexistante, à votre vacuité. Pendant des années, vous avez baptisé ce sentiment « malaise de vivre », « angoisse », mais cela n'est plus vrai. Ce néant qui vous envahit ressemble étrangement à une paix. Il y a quelques années à peine, vous auriez fait appel à des notions plus âpres. Vous qui parliez alors si durement de ces bourgeois qui vous horripilaient. Le mot vous fait encore sursauter. Un peu moins souvent. Les exploiteurs, à vous entendre, sont partout, mais ils ont réussi à vous neutraliser un peu. Vous n'avez plus le scandale aussi facile, endormi par les gestes répétés de la vie quotidienne, épuisé par d'incessantes et inutiles révoltes.

En l'espace d'un an ou deux, vous avez vieilli considérablement. Sans vous en douter, vous avez glissé du côté des vieux. Le « jeune » écrivain dont on ne parlait qu'au futur, tenant pour assez vains ses écrits, n'avait pas réussi à imposer sa marque. Vous savez que rien n'est tragique et que vous ne serez, tout compte fait, qu'un écrivain médiocre parmi tant d'autres, mais il n'empêche que vous ne vous résignez pas à être un des innombrables ratés de l'écriture. Vous n'attendez qu'un signe, du reste, pour vous métamorphoser en chantre très convaincu. Oh ! vous la secoueriez facilement, cette apathie qui vous gagne, s'il se trouvait trois lecteurs qui sachent vous convaincre de leur fidélité. Trois lecteurs qui vous lisent comme vous lisez tel auteur aimé. Peut-être qu'un jour, quand vous serez dans votre soixantaine et que vous aurez renoncé à parler, surviendront de jeunes hommes troublés par quelques pages que vous aurez écrites. En vous hâtant quelque peu, peut-être reprendrez-vous alors cette habitude d'envoyer des manuscrits à des éditeurs, qui seront pour vous pleins de respect. On est gentil pour les vieillards, on s'imagine qu'ils ont beaucoup de choses à dire.

Il reste la lecture

Ils disent qu'ils n'ont pas le temps de lire et nous les voyons faire des tours d'Europe en treize jours, avaler les messages commerciaux de la télévision, jouer aux cartes, commenter pendant des soirées entières des quarts d'idées soi-disant politiques. Moi qui suis pour la liberté, il ne me viendrait pas à l'idée de leur reprocher leurs femmes imbuvables, leurs Jeux Olympiques racistes, leurs autos de course nickelées — d'autant qu'il peut être parfois instructif de courir les cent mètres en trois secondes et deux tiers en soufflant dans une bonbonne ou de s'allonger avec une dame qui ne connaît pas encore les angoisses de votre enfance première. Mais j'ai toujours remarqué que ces gens-là n'aiment pas les choses et les gens qui ne leur ressemblent pas.

Un livre, c'est pourtant inoffensif. On parlait jadis de la mauvaise influence des lectures, mais on exagérait sottement. Vous connaissez beaucoup de gens qui ont fait la révolution après avoir lu *Le Capital* ou qui ont visité des maisons d'éducation pour jeunes filles sous l'influence de Sacher Masoch ? Pourquoi sont-ils si intraitables, ces affreux ? Le monde leur appartient, leurs députés sont élus, leur parti politique parle pour eux.

Si nous étions des violents, il faudrait les rembarrer, leur représenter qu'ils sont minables, qu'ils puent de la bouche et que nous savons que leurs pères ont fait leur argent avec la traite des blanches. Notre douceur instinctive nous empêche d'avoir recours à ces moyens directs et efficaces. Nous préférons louvoyer, profiter d'un moment d'inattention de leur part pour sortir de nos goussets *La Chartreuse de Parme* ou des poèmes de Michaux. À la sauvette, en toute discrétion, comme si nous avions à être pardonnés, comme si nous avions quelque sale manie. À peine installés dans notre lecture, nous serons peut-être dérangés par un étudiant qui viendra nous dire que notre culture est bourgeoise, que nous sommes un peu ramollis de trouver quelque intérêt à un texte purement littéraire. Notre plaisir serait coupable. Si le ton n'est point trop suffisant, pourquoi pas ? L'étudiant retourné à ses propres lectures, nous reprendrons avec plus d'ardeur notre vice. Et puis, vivre, n'est-ce pas toujours se remettre en question ?

Il n'est pas né, celui qui me convaincra que la lecture doive être utilitaire. Que la bourgeoisie ait plié la culture à ses fins, qu'elle l'ait institutionnalisée, c'est l'évidence même. Mais rien n'est moins bourgeois que la démarche d'un homme qui lit un texte pour s'en imprégner tout simplement. Qui ne s'intéresse pas tant aux idées qu'aux mots, à leur sonorité, leur odeur, leur rythme, leur façon de s'entrechoquer ou de glisser, d'être incisifs ou de nous bercer. En chinois, le livre rouge est peut-être écrit superbement, on traduit si mal de nos jours...

Cultivons la réaction

Ce n'est pas moi qui parlerai contre les réactionnaires. Je pense même qu'il faudrait les cultiver, les encourager à se prononcer plus ouvertement sur les problèmes qui leur tiennent à coeur. De cette façon au moins, notre jeunesse étudiante qui n'a pas tellement motif à se réjouir ces années-ci pourra s'amuser.

La recherche des esprits réactionnaires devrait se faire avec méthode. On pourrait prospecter toutes les classes de la société — une attention particulière devant être portée à l'élite. Car il serait triste de laisser dans l'oubli des individus doués pour la réaction mais trop réservés.

Les candidats repérés, on devrait les couvrir d'honneurs, leur faire croire qu'ils sont de grands hommes, des penseurs dont la nation a besoin. C'est encore le meilleur moyen de se débarrasser d'eux. Infatués, suffisants, omniscients, ils ne voudront plus rien dissimuler de leurs sentiments les plus extrêmes et les étaleront à la face du monde.

L'idéal serait évidemment que chaque réactionnaire de quelque qualité soit nommé à la tête d'un groupe. Je rêve d'ailleurs d'une association contre le progrès, qui vanterait sans analyse les oeuvres du passé. Faire revivre les coutumes des années écoulées, chanter la sagesse des vieillards, célébrer le patrimoine. Pas de tergiversations, pas de timides professions de foi suivies de retraites stratégiques, mais une joyeuse audace, une insolente percée vers l'arrière-garde, une célébration inconditionnelle de l'inculture paysanne, par exemple.

Ces gens craignent l'avenir ? Qu'ils le proclament ouvertement, appuyés par des adolescents qui ont peur, des jeunes hommes qui ont peur, des grands-mères qui ont peur. Réunis sous l'emblème de la tradition, de la panique, ils pourront ainsi mieux s'opposer aux éléments progressifs de la société. Remarquez qu'ici je dois bien avouer que je ne sais plus très bien ce qu'est un « progressiste », mais je cherche. Il est quand même malheureux que les gens de cette qualité soient si rares ou, pour le moins, si difficilement détectables.

Une fois le mouvement de réaction en plein essor, dès qu'il aura donné des signes de durée, aussitôt que les plus fanatiques parmi ses adhérents auront clamé leur credo, il conviendrait de le rendre parfaitement inoffensif par un moyen que je ne connais pas encore. Dans notre immense et beau pays, l'auto tue plus sûrement que le ridicule, vous le savez.

On pourrait, par exemple, leur offrir, à ces esprits passionnés par les choses du passé, des lo-

58

pins de terre dans quelque région éloignée où ils pourraient recréer un pays bien à eux, vivant à l'heure du dix-neuvième siècle. On y entendrait à satiété des quadrilles paysans, on y perdurerait entre soi, à l'abri des assauts souvent périlleux des nations étrangères. Le reste du Québec pourrait alors organiser sa vie comme il l'entend, en commettant des erreurs, en expérimentant, pour sûr, mais sans avoir à se battre pour des questions résolues depuis des décennies.

Un autre moyen plus draconien, probablement irréalisable, me vient à l'esprit. Il consisterait à afficher dans les cours d'école, à la porte des discothèques, sur les campus, des effigies de grands chefs réactionnaires pour que notre jeunesse apprenne à se former à la fois le bras et l'esprit en leur lançant cailloux, canifs, légumes et autres projectiles. Les jeunes trouveraient là une distraction saine et adaptée à leurs besoins. Cela vaudrait mieux que l'usage immodéré de l'alcool et des drogues dures, dont ils feraient, paraît-il, un usage trop libéral. Mais c'est bien timidement que j'avance cette proposition, sentant la difficulté immense du projet.

Au fond, il ne faut pas trop chercher d'armes contre les marées de réaction. Un réactionnaire qui parle ou écrit énonce des raisonnements qui sont tout de suite recouverts d'une épaisse couche de poussière. À fréquenter ainsi le passé, on devient marqué.

Peut-être n'avons-nous pas besoin de tout ce branle-bas pour mettre à la raison des loups de musée, dont les dents sont postiches ? Puisque même moi, je n'ai pas peur...

Les soucis de la carrière

Un ami qui me voulait du bien me donna jadis le conseil suivant : « Si tu veux réussir dans la vie littéraire, cesse de te déprécier, accepte les compliments sans protester. » Joli précepte, très positif, que je n'ai jamais pu mettre en application. Ce n'est pas que j'éprouve une volupté sans borne à rappeler à autrui mes manques, à souligner indûment les fautes d'accord qui m'échappèrent aux pages 102 et 118 de mon cinquième roman, mais je n'ai jamais pu accepter un compliment avec grâce. Je rougis comme une jouvencelle à son premier bal. Il me semble qu'il me faut trouver de toute urgence une raison qui m'excuse de ce chef-d'oeuvre qu'on m'impute.

Oh ! je le sais bien, je ne suis pas de la pâte dont on fait les lauréats. Je m'y essayai jadis avec de bien piètres résultats. Finis les concours pour moi ! J'ai gardé du reste, de ces expériences, un goût de défaite assez peu agréable. Lorsque je lis dans un journal qu'on a proclamé une Miss Nue, je songe irrémédiablement aux candidates moins chanceuses, seins endoloris, fesses tristes. Je me reconnais en quelque sorte en elles.

Si j'avais une nature plus gaie, mes sens seraient avivés par les jolies têtes couronnées ; je songerais plutôt aux poètes de la patrie, aux écrivains qui portent bien haut le culte de la pensée québécoise triomphante, à ceux dont les noms coifferont plus tard les frontons de nos écoles. Et je suis là à bafouiller, à dire madame vous êtes bien gentille de me signaler que ma prose a des élans mandiarguiens, mais vous auriez dû remarquer à quel point l'imparfait du subjonctif me sied mal, je serais même embêté de vous dire que si vos yeux ne m'avaient pas troublé si fort, il aurait pu arriver que les miens ne baissassent point !

Habitude déplorable, fausse humilité (car mon orgueil est sans borne) qui fait que je ne siégerai jamais à l'Académie canadienne-française et que mes livres ne seront jamais imposés en masse à des étudiants. Mes enfants rougiront plus tard quand on leur parlera de la manie honteuse de l'écriture qu'avait leur père ; il leur arrivera peut-être de regretter que je n'aie pas été plutôt marin au long cours ou maire de Montréal. Déjà ma soeur rase les murs pour éviter les voisines qui lui rappelleraient telle confession ridicule que je fis à la télévision, il y a six ans, entre une réclame de soutien-gorge et un bulletin météorologique.

Si j'avais au moins l'espérance de changer. Mais non, ma timidité est telle que je serais prêt à avouer, sans circonstances atténuantes, que je ne suis qu'un écrivain intimiste qui écrit pour

une poignée de lecteurs, qu'au reste il n'est pas
sûr d'aimer.

Villes, je vous aime !

En règle générale, il n'est rien de plus laid qu'une ville. Gratte-ciel monstrueux, affiches aux couleurs criardes, ghettos agressifs, banlieues aseptiques. Je l'avoue d'autant plus aisément que je veux proclamer ici mon amour de la vie urbaine. Je ne vois pas pourquoi je me gênerais de dire bien haut que la campagne ne m'est supportable qu'à petites doses. Le pur chant du grillon me fait bâiller s'il ne cède bientôt la place à la douce caresse d'un klaxon d'auto. Oui, j'aime la ville et peu me chaut que tant d'anciens citadins se vantent de vivre sous un ciel champêtre. Je leur laisse le grand air et leur santé retrouvée. Jamais ma voix ne se joindra à leur choeur triomphant.

Ce côté impersonnel de la ville que l'on décrie à l'unanimité me va comme un gant. Que l'on me protège jusqu'à la mort de ces contacts trop étroits, de toute promiscuité villageoise, d'un voisinage obligatoire avec des gens que je n'ai pas choisis. Je pourrais vivre cent ans sans me préoccuper des études du fils de mon cinquième voisin de droite et me féliciter de ce que le septième de gauche ne sache pas que je rentre d'Italie ou d'une visite chez le vétérinaire.

Esprit superficiel, j'ai besoin du contact avec l'asphalte et le béton. J'ai une peur bleue de la nature, de sa brutalité. J'aime aussi les petits oiseaux, les arbres qui bourgeonnent, les ruisseaux qui serpentent dans les prés au printemps, mais ce que je leur demande, c'est un peu de repos. Ils me procurent la force de vivre à nouveau dans des villes qui m'exaltent.

Oui, je vivrai entouré d'inconnus, merveilleux d'indifférence et d'anonymat, porté par l'agitation ambiante, nourri par le spectacle du monde. Après tout, les villes n'ont-elles pas été bâties par l'homme et pour lui ? On trouve dans les plus civilisées d'entre elles des salles de cinéma, de théâtre, de concert ; des librairies, des musées, des bibliothèques. Des hommes tout aussi humains que ceux que l'on trouve à la campagne se réunissent dans leurs restaurants et leurs bars ; leurs innombrables magasins fourmillent de biens de consommation qui viennent du monde entier.

En somme, la vie à la ville, pour peu qu'on y réfléchisse, c'est le paradis sur terre. Paris, Florence, San Francisco, Montréal, New York, Londres, Rome, que de souvenirs, que de visions éclatées ! Dommage que des esprits chagrins répandent à l'envi que la pollution nous en chassera dans vingt ans ou à peu près. Quoi qu'il arrive, je mourrai, mon masque à gaz à la main, comme le fidèle amant que je suis...

Mais parlez-moi de la vie !

Il faudra bien, un jour, que j'en prenne mon parti, jamais je ne trouverai la vie drôle. Non que cette très chère qui colle à ma carcasse n'ait pas de ces charmes évidents. D'autant que j'abhorre les geignards. Elle est là, la vie, c'est tout ce que l'on connaît, et l'on y tient par-dessus tout. Mais entre nous, quelle peste ! Non décidément, elle ne me comptera pas parmi ses chantres.

Je vois déjà bien des fronts se plisser. Personne n'est moins tolérant qu'un optimiste. Ayant décidé une fois pour toutes de s'extasier devant la création, il ne connaît que l'exultation. Levé aux aurores, il s'enivre du parfum des fleurs, du murmure d'une rivière et a depuis longtemps décidé que des êtres comme moi ne sont que des névrosés. Grand bien lui fasse ! Je lui retourne le compliment. Les gens heureux sont pour la plupart des boy-scouts. Comme bonne action, je leur demande de cesser de nous casser les pieds.

En ce siècle où l'exploitation de l'homme par l'homme a atteint des sommets ; où la mauvaise conscience grandit mais ne change en rien la misère des autres ; où la liberté des femmes et des enfants est foulée aux pieds ; où enfin la sauvagerie de la guerre se déploie de plus en plus ; en ce siècle, dis-je, je ne vois vraiment pas pourquoi on serait heureux, pourquoi on aurait raison de l'être, selon l'expression si navrante de Louis Pauwels.

De tout temps, j'ai préféré la compagnie de ceux qui se trouvaient tous les jours des raisons de ne pas abandonner, qui lisaient dans le regard des autres la force de continuer malgré tout. Ce sont ces formes de courage qui m'impressionnent. Que dire des désespérés, de ceux pour qui la vie n'est déjà plus qu'une apparence, à laquelle ils s'accrochent vaille que vaille ?

Pour moi, l'optimiste est un être indécent, gênant. Je n'en ai que faire. Nous n'habitons pas la même planète.

Les marchands de soupe

Vous souvenez-vous du temps où sans vergogne nous étions tous élitistes ? Merveilleuse époque où l'on n'avait pas à se cacher pour écouter les *Scènes de la forêt* de Schumann, tourner lentement les pages d'un album de lithographies japonaises et humer le bouquet d'une fine champagne. On comprenait encore les paroles des chansons québécoises. Nos retours de Paris nous aimaient de loin et avec un dédain fort hygiénique.

Le vent a tourné. On revient maintenant aux sources, coûte que coûte. Plus la soupe est épaisse, plus on est content. Les retours de Paris qui vous cassaient les pieds avec les petits restaurants de la rive gauche ne jurent plus que par tourtières et tartes au sucre. Lorsque vous les voyez à table chez Bardet ou chez la Mère Michel, ils ont un peu honte. Si on allait interpréter leur geste comme une trahison vis-à-vis du peuple québécois ? Alors, ils prennent les bouchées doubles, au figuré s'entend, parlent gras, insultent le garçon parce que, tout marocain qu'il soit, il ressemble à un Français et s'exprime comme un Parisien. On est authentique ou on ne l'est pas !

Le rétro fait québécois, voilà qui rapporte gros. Tout le monde est de la partie. Des publicitaires aux journalistes ; des politiciens du système aux professeurs barbouillés de science philosophique chapardée chez Lacan et mise à la sauce québécoise. Être authentique, cela veut dire ne pas avoir honte de son milieu, le proclamer à tous vents. Attitude généreuse devant laquelle on s'inclinerait volontiers si elle ne cachait tant de démagogie. À ce jeu, c'est le plus habile simulateur qui l'emporte. Comme toujours.

La mode passée, nos universitaires, nos journalistes, nos publicitaires se tourneront vers autre chose. Tant pis pour le temps perdu à des niaiseries. Ne seront victimes que ceux qui auront vraiment cru à ces personnages de musée de cire qu'on tente d'animer. Ceux qui auront vraiment cru que notre passé et nos traditions valent mieux que le présent. Les moins futés en quelque sorte, les naïfs, ceux qui se berceront au coin du feu au son de leur musique de folklore pendant que les cerveaux électroniques prédiront notre extinction prochaine comme peuple.

Vous le voyez, je ne suis pas de très bonne humeur. J'en ai assez des exploiteurs qui vendent le peuple et son passé en faisant leur réclame. L'odeur de la mort attire toujours les charognards. Espérons que nous n'en sommes pas là. Quant à moi, si ça ne vous embête pas trop, je serai authentique sans ceinture fléchée. L'an 2000, c'est dans vingt ans, après tout !

Jeux

L'envie est un bien vilain défaut. J'en conviens d'autant plus aisément que j'en suis affligé. Mais attention ! je n'envie pas n'importe qui. Moi, ce qui me manque, c'est de ne pas avoir connu mes premiers émois sexuels plus tôt.

Ceux-là seuls qui ont expérimenté les enivrantes joies de la sexualité précoce m'impressionnent vraiment. Devant eux, je me sens un peu dépourvu, j'allais écrire « infirme ». À six ans, je ne jouais même pas au docteur avec mes cousines.

Mais alors ? je n'étais pas normal, peut-être ? Combien de mes amis ne racontent-ils pas en se tapant les cuisses leurs exploits d'antan ? À croire que leur quartier tout entier a été mis à contribution et que les classes de la maternelle d'alors n'étaient formées que d'enfants lubriques.

Je n'étais pas très normal assurément puisque je me contentais de jouer à cache-cache selon les règles, la tête vraiment appuyée sur le poteau. Il devait s'en passer de belles pendant que je comptais, les yeux fermés, jusqu'à cent cinquante !

Quand je me sens positif, je me dis que mes amis exagèrent et que leur imagination trop fertile leur joue des tours. Leurs plaisirs tant célébrés devaient être bien pâles. Si je les envie, ce n'est que pour leur faconde, on aime les vainqueurs, après tout, les vantards, les forts en gueule. Quant aux autres, ceux qui ont vraiment commencé trop tôt dans la carrière, je les plains. On n'a qu'à causer quinze minutes avec leur femme pour comprendre. Ce qu'ils ont eu plus tôt, ils l'ont plus tard un peu moins.

Il y a une justice, non ?

Y a-t-il un écrivain dans la salle ?

Ce cri, je le lancerai maintenant dès que j'entrerai dans un lieu public. Pour fuir si la réponse est affirmative. Que voulez-vous, j'ai peur des plumitifs. Je les crains comme le whisky sans glaçons. La semaine dernière, je me suis fait raser pendant une heure par un auteur bien de chez nous, et je me suis juré que jamais plus on ne m'y reprendrait. Une heure, soixante minutes, trois mille six cents secondes pendant lesquelles j'ai dû sourire comme si j'étais intéressé, poser deux ou trois questions, opiner du bonnet, cligner des yeux avec intelligence, me retenir de me gratter la fesse parce qu'une gloire de nos lettres me faisait la grâce de m'entraîner dans le labyrinthe de sa vie intellectuelle. Ensemble nous avons parcouru les sentiers de sa création. Peut-être m'enviez-vous, mais si vous saviez comme j'aurais aimé être loin ! Très loin.

J'avais eu le tort de lui demander s'il écrivait. Comme ça, tout simplement. Que voulez-vous, je ne fume pas, je n'ai pas la confidence facile, il faut que je m'occupe, que je donne le change. Je ne suis pas sûr, du reste, que si je m'étais contenté de l'entretenir du temps qu'il faisait ce jour-là, il n'aurait pas fait le lien avec la pluie qui tombait le jour où il remporta son dernier prix littéraire. Avec ce poète, on ne s'en sort pas. Les écrivains sont des êtres impossibles, satisfaits, vaniteux. *Il est pire qu'eux.* Normalement, on croirait que la modestie de nos tirages québécois influence le comportement de nos papelards scribouilleurs. Il n'en est rien. Ils se prennent pour Soljenitsyne au premier tirage ; pour Shakespeare au deuxième ; pour la Bible à partir des tirages subséquents. Font-ils une quelconque action politique, comme de signer une pétition contre l'utilisation de la colle *Crazy Glue*, en même temps que cinquante mille autres Montréalais, ils se croient devenus des Neruda. *Mon poète est pire qu'eux.* S'ils obtiennent l'une de ces précieuses distinctions littéraires qui foisonnent en nos murs, ils deviennent carrément imbuvables. Mon tortionnaire de la semaine dernière a eu son lot de récompenses. Il se croit pourtant victime de quelques injustices. Il m'en a parlé longuement, laissant planer des soupçons sur l'intégrité d'un chroniqueur ami, mettant en doute la compétence de deux ou trois professeurs de lettres. Plus que d'autres, ce poète offensé se démène pour obtenir des comptes rendus favorables, téléphone longuement, fait intervenir des connaissances. C'est le jeu littéraire dans toute sa magnificence. Je ne comprends pas qu'il puisse croire à ce qu'il écrit, à ce qu'il est, après tant de démarches et d'humiliations.

La seule justification que j'ai pu trouver à ce jour, c'est que l'écrivain est tellement engagé dans son entreprise monolithique qu'il ne se voit plus, ni ne s'entend. Je suis cependant bien décidé à n'en plus faire les frais. À tous les écrivains que je connais, je ne veux plus désormais parler que de la littérature des pays étrangers, surtout d'ouvrages qu'ils ne connaissent pas. Qu'ils écrivent en joual ou en sabir des dimanches, ils se ressemblent tous. Des monstres !

Il y a pourtant des jours où j'aimerais bien vous entretenir de mes projets littéraires. Mon prochain roman...

JUSTIFICATIONS

« *J'ai ainsi le sentiment d'écrire ab-solument en marge de tout, pas à contre-courant, mais en marge et dans une extraordinaire solitude. C'est un peu angoissant et c'est un plaisir, je ne saurais mieux dire. J'écris parce que le temps presse... Il me faut écrire ce que je suis seul à savoir, ma vie, et rendre ma copie bien complète, bien propre, soi-gnée, honnête.* »

José Cabanis

Pourquoi j'écris

Je crois que l'on écrit parce qu'on ne peut faire autrement. C'est une façon de vivre. À seize ans, lorsqu'un ami me racontait un secret précieux, je l'accueillais avec bienveillance, je le provoquais avec toute l'amitié du monde, mais très mesurée était ma cordialité. J'étais ému, mais rarement bouleversé, mon émotion était « littéraire ». Je songeais, malgré moi, honteux souvent de cette constatation, au livre que peut-être je pourrais ébaucher à la suite de cette confidence. Combien de fois n'ai-je pas demandé alors à des êtres chers la permission de me servir d'une anecdote ou d'un souvenir intime en leur promettant l'anonymat, les noms d'emprunt, les camouflages les plus énigmatiques ? Ai-je vraiment changé à ce chapitre ? Cela n'est pas sûr et je me demande si mon intérêt pour autrui n'est pas souvent fonction de ma production romanesque. J'exagère, bien sûr, mais qui sait ?

Arrabal dit que s'il était beau comme Alain Delon, il n'écrirait pas. Je cite de mémoire. Peut-être est-ce de sa part une boutade, je n'en sais rien, quant à moi j'ai la certitude d'écrire présentement par inaptitude à vivre, à vivre en tout cas une vie qui ressemblerait de près ou de loin à celle de mes contemporains.

L'écriture m'est refuge, force, retraite, engagement, délivrance, passion. Tout à la fois. Je sais bien, par exemple, que la conversation, qui est le moyen le plus évident, le plus immédiat de communiquer avec les autres, ne me satisfait pas. J'aime mieux parler aux gens que j'aime, mais il est des choses qui ne me viennent à l'esprit et au coeur que devant une machine à écrire. En présence d'un être, on dirait que ce ne sont pas tellement les paroles qui comptent, mais leur musique. Et que dire de la beauté des gestes, du mouvement des yeux et des lèvres ? Il y a comme une fascination qui met un voile entre vous et l'autre. Alors que cette phrase que l'on peut reprendre à l'infini comme écrivain et comme lecteur a tous les pouvoirs.

Que je sois compliqué en diable, refoulé, plein de tics et de contradictions, voilà un point que je concède aisément. Je ne suis pas de ces êtres qui s'extasient devant un coucher de soleil ou qui se délectent devant la bonne chère. Plutôt puritain, je me passerais volontiers de ces satisfactions pourtant fort honorables. Par ailleurs, je connais peu de voluptés qui valent cette impression de liberté, de puissance qui vous vient parfois lorsque vous courez après deux ou trois idées ou séries d'images qui se bousculent dans votre tête et que vous êtes sûr de pouvoir transcrire dans les minutes qui suivront. Qu'importe si, dans une demi-heure, une journée ou une semaine, elles vous paraissent ineptes ou grossières. Cette fébrilité, cette joie ne sont pas fréquentes, mais elles réussissent à vous faire oublier le sentiment de culpabilité qui est vôtre, les soirs d'insuccès.

Je suis ému aux larmes devant certaines réactions que provoquent mes livres, toujours étonné que l'on m'ait lu de préférence à Buzzati ou Pavese, par exemple. Surtout si je sens que mon lecteur connaît l'existence de ces auteurs. Autrement, je ne suis pas vraiment alerté. Quand je suis de mauvaise humeur contre moi, je me dis que mes lecteurs sont bien compréhensifs ou mal informés. Devant un témoignage convaincant, qui réunit toutes les difficiles conditions de mon adhésion (car je suis méfiant), je demeure bouche bée, incapable de la moindre réaction intelligente. Quoi ? On a aimé ce que j'ai écrit, on a cru aux êtres que j'ai imaginés ? Et tout de suite, je me sens un tout petit peu profiteur. Je sais trop bien que jamais je n'ai songé à un lecteur pendant que j'écrivais. Le Québécois, mon frère, qui m'a fait la faveur de me lire, est un ami de hasard. Je n'ai rien tenté pour lui plaire. En période d'écriture, je n'ai eu de pensée que pour le livre que j'avais à écrire. Afin d'y arriver, j'ai mis tout à contribution, mon expérience de la vie, mes lectures, mes perceptions les plus inattendues ; je me suis plongé dans ma noirceur pour en ressortir couvert de

ces humbles parcelles de vérité que j'ai transcri-
tes et transgressées à la mesure de mes moyens.
C'est tout.

L'écriture est pour moi l'acte le plus égoïste
qui soit. Je ne cherche même pas à m'en excuser. Compte tenu de mes bizarreries de comportement, peut-on raisonnablement me reprocher
de préférer, à certaines périodes de l'année, le
monologue en chambre aux discours mon-
dains ?

J'ai en quelque sorte une fierté d'être québécois. J'aime les gens d'ici, mais je ne suis pas
sûr de publier des livres qui leur conviennent.
Plusieurs des ouvrages qui reçoivent leur adhésion me sont ou hostiles ou indifférents. J'ai dit
tout à l'heure que si j'écrivais, c'est parce que je
ne peux faire autrement. Je pourrais ajouter
que je m'adresse surtout à un type d'êtres qui
ont ma sensibilité, qui croient aux mêmes choses que moi dans la vie. Et me soucie très peu de
modernité, de renouvellement des formes, etc.
Ce n'est pas là mon affaire. Si le moyen m'en
était donné, j'aimerais compter parmi mes lecteurs des Italiens, des Anglais, des Américains.
Bien peu de nos auteurs ont vraiment atteint le
palier international et rien n'annonce que j'y
parviendrai bientôt. Je suis donc, bien malgré
moi, un écrivain local, possédant tant bien que
mal sa langue, écrivant des histoires québécoises
d'inspiration et de facture, mais qui n'a jamais

eu la sensation d'apporter à la description de cette âme collective québécoise d'éléments que l'on ait reconnus originaux. Ainsi donc, si je continue d'écrire au Québec, c'est que je sais au plus profond de moi que mon oeuvre doit avoir ses racines ici et que, quoi qu'il arrive, je suis d'ici. S'il se trouve des sensibilités que je dois d'abord toucher, c'est près de moi que je les trouverai peut-être.

J'ai plus que jamais confiance en l'écriture. J'ai toujours un peu de peine — et beaucoup d'agacement — lorsque j'entends quelqu'un ânonner des simplifications macluhaniennes à propos de la fin du livre, par exemple. Il est bien possible qu'une telle éventualité s'avère, mais je ne peux supporter qu'on ne la redoute pas. Encore moins qu'on s'en félicite au nom d'un certain progrès des communications. Je crois à l'expression littéraire, je sais qu'il y a des vérités qui ne sont que littéraires. Je pense, par exemple, à cette phrase tirée de la correspondance de Voltaire : « Je ferais une hécatombe de sots pour sauver un rhumatisme à un homme aimable », et me dis que le plaisir que j'éprouve à la lire est un plaisir exclusif à la littérature, que nulle image, nulle idée ne saurait traduire. Je ne voudrais pas vivre dans un monde qui ne saurait faire son miel de ces nuances du verbe. Quoi de plus éclatant que cette prose claire, sans fioriture ? Un monde sans esprit me ferait peur. Je soupçonne toujours un totalitarisme aux aguets. Dans ce Québec, en pleine période de répression organisée, et à tous les niveaux, c'est l'unique espoir qu'il me reste, à moi qui me veux homme libre.

On pourra enrégimenter, si on y tient, des téléspectateurs, en faire des consommateurs béats, sans conscience politique ni culture, mais on aura la tâche plus ardue avec des lecteurs de poésie et de roman. Je me sens, pour ma part, fouetté par un discours inepte de politicien, il me semble que la liberté est de jour en jour menacée et que, dans notre État québécois d'aujourd'hui, il faut tout faire pour conjurer l'intolérance, même des romans.

(1969)

Trente-sept ans

Quand j'ai publié mon premier roman, en 1963, j'étais tout simplement assommé par l'attitude des gens qui voulaient à tout prix que je sois un « jeune » écrivain. Il me semblait qu'ils trouvaient un peu trop merveilleux que l'on puisse écrire cinquante mille mots d'affilée. L'admiration que je lisais dans leurs yeux, le sentiment d'être un talent à encourager, tout cela était tellement touchant que j'en avais la nausée. Il est vrai qu'à l'époque le phénomène de la publication était moins répandu que maintenant et que de solides carrières s'édifiaient à partir d'un ou deux livres. On avait une oeuvre à peu de frais. Il n'empêche que je sentais bien qu'on exagérait la portée de mon geste. J'avais écrit un livre, c'était tout.

Si j'étais à ce point agacé, c'était à cause du paternalisme que cachait une telle approche. On disait « jeune écrivain » tout simplement parce que j'en étais à mon premier livre. On me rappelait ainsi le plus gentiment du monde que j'avais encore du chemin à faire et que les imperfections que contenait mon livre étaient bien excusables.

J'avais vingt-neuf ans. Rien d'un Radiguet ou d'un Rimbaud, comme vous voyez. J'étais père deux fois, fonctionnaire une fois de trop et je lisais les auteurs français libertins du dix-huitième siècle. J'ambitionnais tout, sauf d'être un « jeune écrivain ». Jean Basile m'avait rappelé fort à propos dans une critique du *Devoir* que ma première oeuvre était en réalité une entreprise de vieil homme. Selon lui, je ne mettais pas assez de folie dans cette *Suprême discrétion*. À l'époque, j'avais été assez offusqué. Surtout qu'on me reprochait Bourget, que je n'avais pas lu, et omettait Jacques Chardonne à qui j'avais voulu rendre hommage.

Je n'ai jamais tenu à proclamer ma jeunesse, mon dynamisme de jeune. La mienne n'a pas été gaie et je préfère l'oublier. À l'âge où naissent les Nelligan, je n'avais rien à dire qui ne puisse s'exprimer dans les tavernes et les bars. J'avais la bière triste et très peu porteuse d'idées généreuses. Seul le travail physique obligatoire — j'étais étudiant et me voulais indépendant — réussissait à calmer en moi les appels de la mort.

Lorsque je songe à la vie, j'ai parfois l'impression d'en avoir connu au moins trois. Ma première s'est terminée vers la vingtième année. C'est incontestablement la plus triste. La seconde a perduré jusqu'à trente-cinq ans. Étant né en septembre 1933, j'ai donc aujourd'hui deux ans. J'ai connu deux fois l'expérience de la mort, je sais ce que c'est que d'avoir quatre-vingts ans.

Ceux qui n'ont recours qu'au calendrier pour évaluer l'âge des gens me font pitié. Je suis autrement plus jeune que je ne l'étais en 1953 ou en 1963. Le jeune écrivain en moi, ce n'est pas celui qui vers 1961 tentait sans succès de publier des nouvelles dans *Châtelaine*, mais bien l'auteur de *Fade-in*, titre provisoire du livre que j'écris en ce moment. Quand on parle de générations d'écrivains, la notion de jeunesse est toujours relative. L'expression même de « jeune écrivain » est une invention de vieux. Elle pue le conservatisme le plus éculé. S'il faut parler de jeunesse véritable, pourquoi parler d'écrivains ? Je crois qu'à partir du moment où l'on décide d'écrire, on admet implicitement son inaptitude à vivre, donc à être jeune. Les jouvenceaux qui vont dans les discothèques le samedi soir ne songent pas à écrire, ils laissent cette préoccupation aux méditatifs, aux laissés-pour-compte du plaisir.

Cela dit, il y a des variantes. Le véritable écrivain jeune, c'est Stendhal écrivant à cinquante-cinq ans sa *Chartreuse de Parme*. L'écrivain vieux, c'est Montherlant ou Chateaubriand à tout âge. Point n'est besoin de s'être inspiré directement de Port-Royal ou de la Bible pour avoir droit à cette appellation. Lorsque je songe à Cioran, Pavese ou Buzzati, qui sont parmi les écrivains qui ont le plus compté pour moi, j'imagine une attitude bien particulière devant la vie, un certain ton de dénuement qui n'est pas celui de la jeunesse.

À bien y penser, je crois que je suis peut-être devenu un jeune auteur. J'ai deux ans, je vous l'ai dit. En plus, j'envisage mon métier d'écrivain avec un enthousiasme autrement plus grand que celui que je pouvais afficher à mes débuts. Il me vient certaines audaces, certaines libertés de style que j'aurais écartées au nom d'une conception un peu figée de la littérature. Quand on donne à un roman le titre de *Une suprême discrétion*, on est un homme à surveiller. Je me souviens de cette promesse que je m'étais faite en faculté des Lettres de l'université de Montréal de bannir tout lyrisme de mes écrits, de ne jamais employer de points d'exclamation ! J'avais alors vingt ans et des poussières. La belle jeunesse que j'exprimais ainsi. Je me voulais sec, Mérimée après terme, retenant de force une vitalité qui peut-être se serait exprimée dans des brouillons stendhaliens. Il est vain que le Sartre de *La Nausée* traduisait tellement ce que je ressentais de vain dans la vie que j'aurais été empêché d'aller bien loin en ce domaine.

Depuis quelques années, je crois en la littérature québécoise. Cette affirmation peut sembler une évidence. Vous ne savez pas avec quel dédain pour mes collègues j'ai décidé de me joindre à eux. Je trouvais les livres d'ici mal faits, bien limités les mondes qu'ils exploraient et bien rustauds leurs auteurs. Mes modèles étaient français en grande majorité. Des carrières très parisiennes comme celles de François Nourrissier, Félicien Marceau ou Roger Vailland me séduisaient. Plus colonisé que la plupart de mes amis, j'étais en communication directe avec Gallimard. La lune de miel est terminée. Aucun écrivain québécois à ce jour n'a encore créé un univers romanesque qui me passionne comme celui de José Cabanis, par exemple, mais ce qui m'importe dorénavant, c'est ce que Jacques Godbout ou Jacques Ferron écrivent. Depuis peu, je sens que mon sort d'écrivain est lié à celui d'une communauté, écrivante ou non. Je ne crois plus qu'il soit possible d'écrire seul. Le cheminement a été long, j'en ai mis du temps pour arriver à cette évidence, mais c'est ainsi.

En même temps que je m'inscrivais tardivement dans le projet d'une littérature québécoise, se produisait en moi une véritable révolution. Je me libérais. Depuis deux ans, il me semble que le temps se fait plus élastique. Je travaille davantage et avec une application redoublée. Je n'attends plus la visite de l'inspiration. Je m'assois à ma table et j'écris. Cette vérité toute simple (une autre) que tant d'écrivains ont découverte avant moi m'est le meilleur remède contre l'angoisse.

Faire un bilan à trente-sept ans ? Pas tout de suite. Je suis trop jeune pour cela. Je viens de terminer le premier jet d'un roman. Je l'ai écrit dans un grand moment de joie. Tard la nuit, tôt le matin, en semaine, durant le week-end, en métro, dans ma salle de travail, en réalisant une émission de radio, en montrant le poing à un policier... Je n'ai pas le temps de faire des bilans, moi ! J'écris.

Tant pis pour ceux qui ne prisent pas mes livres ou qui les ignorent ! On peut très bien vivre sans les connaître (je parle de mes écrits). Les critiques ou les universitaires qui n'ont pas aimé mon troisième roman aimeront peut-être le huitième. Ça ne regarde qu'eux. Moi, je ne me laisse plus arrêter par l'accueil tiède ou favorable que peuvent recevoir mes livres. J'ai trouvé des lecteurs, sûrement plus que je n'en méritais. Certains me disent leur émotion. Alors ?

Alors, je suis un écrivain en plein travail et je me trouve émouvant.

(1970)

Second métier

Il m'arrive parfois de songer à une entrevue que j'avais lue dans un journal montréalais vers le milieu des années cinquante. On y racontait qu'André Langevin était réalisateur à Radio-Canada. J'étais alors dans ma jeune vingtaine et une seule chose au monde me paraissait souhaitable : écrire. Toute idée de carrière ou de profession me semblait médiocre. Ce qu'il en avait de la chance, cet André Langevin, d'exercer un métier qui lui permît d'être écrivain ! Il n'y avait pas de divorce entre les deux activités, mais compénétration en quelque sorte. Tant mieux si, mes études achevées, je pouvais à mon tour me dénicher un travail qui n'en fût pas un tout à fait, sorte de sinécure pour intellectuel que n'eût pas répugné un labeur raisonnable. Civita Vecchia, l'ennui en moins, en quelque sorte ! J'imaginais qu'il fallait pour accéder à ce poste avoir été journaliste, avoir écrit des oeuvres remarquées et être un peu chanceux. Or, je n'avais à ce moment-là de ma vie publié que des nouvelles dans des journaux et des magazines ; pour toute expérience professionnelle, je n'avais que celle de commis d'épicerie — ces nuits où j'écoutais la radio en maniant des caisses de conserves, m'efforçant de croire que je tissais ainsi la trame de mes oeuvres futures.

Depuis, bien des choses ont changé. Je suis le confrère d'André Langevin. Trois éditeurs ont voulu publier mes livres. Je n'ai jamais eu à réclamer d'aumône de ce côté. Comme tout écrivain digne de ce nom, je n'ai jamais fait le trottoir, je ne me suis jamais humilié pour quoi que ce soit, le petit nombre de mes lecteurs ne m'a jamais gêné. Le genre d'écrits dont je suis capable n'a rien à voir avec le clinquant ni avec quelque mode que ce soit. Je me suis parfois inquiété du caractère strictement intimiste de mes textes, me voulant parfois plus à l'écoute de la modernité ou encore mieux accordé au type de littérature qui se fait autour de moi. Pour l'heure, je juge ces inquiétudes assez vaines. Je ne vois plus d'autre avenue pour moi que l'opiniâtreté.

N'étant pas de ces écrivains qui remplissent leurs cahiers de notes, d'esquisses et de souvenirs de lecture, je n'ai pas toujours besoin d'une extrême solitude pour mettre un livre en chantier. J'aime assez qu'une occupation régulière et contraignante entretienne en moi une ferveur de vivre dont un manuscrit achevé sera un jour l'aboutissement. L'inaction m'a toujours pesé. Même en ces jours lointains où, étudiant, je me tenais en quelque sorte aux portes de la vie en m'occupant à des tâches manuelles, je l'ai fait sans souffrir le moindrement. Le travail de nuit me grisait. C'est avec satisfaction que j'accomplissais une besogne que certains de mes condisciples considéraient avec hauteur ou étonnement. Le malheur véritable vint lorsque ma licence ès lettres obtenue, je dus me transformer en fonctionnaire pour quelques années. Je n'ai jamais cru à une vie trop standardisée. Il m'a toujours semblé alors participer à un jeu dont je n'étais pas le maître.

Jamais la littérature n'a réussi à calmer en moi l'angoisse, je crois même qu'elle l'avive. À l'adolescence, le désir d'écrire me servait d'excuse pour ne pas oser vivre. Même maintenant, il m'arrive très souvent de ne voir dans ce que j'écris que fariboles. Je ne suis pas de ces auteurs qui possèdent leur oeuvre, qui peuvent vous dire de mémoire leur cheminement textuel. Je veux tout oublier, tout maintenir dans un flou total. Publié, un livre doit s'effacer dans la mémoire. Il est vrai aussi que je ne donnerais pas cher à certains moments pour les plus hautes oeuvres de l'humanité tellement me possède la conviction de l'inutilité des choses. Je crois aux êtres, désespérément, mais que l'on ne s'attende pas de ma part à trop d'optimisme. Tous mes livres, je les ai écrits dans une sorte de fureur, reprenant sans cesse mes manuscrits comme un obsédé, préférant les récritures aux ratures, emporté, violent, désespéré, attiré pourtant par les murmures et les gestes que l'on ne se résout pas à faire. Lorsque j'ai crié, c'est qu'il n'était plus possible de parler à voix basse.

Ce second métier qui me permettrait d'écrire... Je rêvais d'autant plus que je ne saurais me contenter d'une vague occupation moyennement rétribuée qui m'apporterait le gagne-pain que mes livres ne me procurent pas. Si je suis un jour pensionné par l'État, que cela soit clairement entendu. Pas de ces solutions à mi-chemin entre la sinécure et le chapardage des fonds publics.

Bien sûr, il m'arrive de fulminer contre un métier trop captivant, dont les échéances sont toujours présentes, mais je n'ai qu'à réfléchir à ce que font la plupart des êtres humains à longueur de journée pour calmer mon indignation. Et puis, cette idée de roman que j'ai eue au moment d'entrer en studio, je saurai bien la retrouver au moment opportun. J'ai réalisé certains progrès à ce chapitre, mes impatiences sont moins fréquentes. Tout plutôt que le vertige du vide, ces moments d'absurde panique où rien ne tient plus. Filet protecteur, si l'on veut, mais aussi métier générateur d'emballements, occasion de découvertes, façon d'être soi à bout portant. La radio m'a apporté tout cela. Je ne réagirais peut-être pas de la même façon si mes livres avaient fait appel à une vaste audience. Habitué des musiques intimes, que je ne destine qu'à ceux qui peuvent ou veulent les capter, j'ai appris, difficilement, à être modeste. Encore chanceux d'avoir trouvé pour mon pain quotidien une occupation qui ne m'oblige pas à me camoufler et qui me passionne au point où, certains jours, je ne vois pas le temps fuir.

(1974)

Mon très beau nombril

Les plus futés de mes camarades écrivains vous entretiennent volontiers de l'attitude de l'écrivain à la suite des élections du 15 novembre. Que le Parti québécois ait été porté au pouvoir, voilà qui me semble un sujet propre à de fructueuses méditations. Je vous dis tout de suite que je les laisse à d'autres. J'aimerais certes ajouter ma voix au concert, et être tenu par le fait même pour l'un des phares de la nation, mais ces prouesses me sont interdites. Les hautes voltiges de l'esprit, comme ses profondes percées, ces incursions dans des régions où l'on s'enivre aisément n'ont jamais été mon fort. Les pires sottises que j'aie écrites m'ont été proposées par la politique. Je suis donc prudent. L'élection/érection qui a bouleversé mon pays s'effacera, l'espace de quelques pages, devant le spectacle à jamais renouvelé de ce nombril que je contemple depuis tant d'années. Soyez gentil, lecteur, ne montrez pas ce texte à trop de vos connaissances. Elle est trop douce, la satisfaction de l'auteur confidentiel.

Donc, mon nombril. À vrai dire, il n'est pas très beau. Tout recroquevillé sur lui-même, on jurerait qu'il est honteux. On le voit très mal. Il se replie. C'est un peu pour cette raison

que je l'ai pris en pitié. Je n'aime pas les vainqueurs. Pour le contempler à loisir, il faut étirer
la peau du ventre. La dernière fois que je me
suis livré à ce jeu, j'ai grimacé de douleur. À
cause de la pilosité, vous comprenez. Les jours
de grande délectation, je m'aide d'un miroir.
Mon nombril, j'en ai parlé souvent. La plupart
du temps parce qu'on me demandait de le faire.
Je me souviens de témoignages multiples que j'ai
rendus dans des journaux, des revues. Ma vie
que je croyais cachée a presque été publique.
On a voulu, à intervalles réguliers, que je fasse
le point, que je m'interroge. Chaque fois, fidè-
lement, comme si je n'avais rien d'autre à faire,
j'ai sorti ma machine à fabriquer des témoignages et l'ai mise en marche. C'est le premier mouvement qui coûte. Après, ça va tout seul. Au
bout de quelques pages, je ferme le robinet.
J'aimais bien cet exercice. Seulement, je ne m'y
livrais pas sans précautions. Parfois, par exemple, je m'imaginais qu'on voulait mettre à
l'épreuve mon « enracinement ». J'y allais alors
de mon petit couplet québécois. Pourtant le
mot m'a toujours agacé. Pour reprendre un mot
de Jacques Brault, j'aime tout autant les feuilles
que les racines. Je ne vois pas l'intérêt de proclamer à tue-tête qu'on est du Québec ou du Ver-
mont. Du moins, il me semble que seule compte, dans cette affirmation, la manière. Il est
tout à fait normal de se sentir québécois et de
n'en jamais douter quand on est né à Montréal.

Mais toute ma vie, j'ai tenté de ne chagriner personne. Puisqu'on semblait trouver normal de me demander si j'étais d'ici, je me suis posé la question et je me suis persuadé qu'elle faisait partie de mes interrogations quotidiennes.

Lorsque, vers 1969, Réginald Martel a voulu que je m'interroge sur mon appartenance québécoise, je l'ai fait avec une belle spontanéité. J'avais même été le premier à répondre à son invitation. Bel enthousiasme que j'admire à distance, me semblant être le fait d'un autre que moi. J'étais alors fervent indépendantiste, participant à des défilés vengeurs, me mettant fréquemment en colère contre ces injustices qui parsèment nos vies de citoyens. J'ai de cette époque un souvenir presque émerveillé. Qu'importe au fond d'avoir suivi à la lettre des slogans primaires, d'avoir été abusé par des manipulateurs de foules, l'ivresse était belle. Pour une fois, j'abandonnais mon nombril à son triste sort. Je lançais des quolibets aux policiers qui nous encerclaient, je vitupérais comme un putois, mais j'étais joyeux tout à la fois, me sentant soutenu par ce qui devait bien être une cause. *La Presse* reproduisit donc ma prose. Je me déclarais sans ambages « écrivain d'ici ». Mon témoignage était sincère, mais un peu niais. Je m'y excusais presque de l'aspect égoïste de l'écriture. Égoïste, l'écriture ? mais comment donc ! Ce n'est même que cela, égoïsme tellement concerté qu'il en devient généreux. J'ai toujours fait mon miel de cette littérature dite de l'âme, j'ai navigué à travers Stendhal, Leiris et les petits maîtres du « je » comme Henri Calet et Paul Léautaud. C'est pour ces auteurs que la littérature existe à mes yeux, non pour des déclarations d'appartenance. Je ne dois rien au Québec ni aux Québécois. Pas d'obligations, jamais.

En 1970, pour *Liberté*, je me livrais à une autre auto-analyse. Dans un texte qui avait ses bons moments — vous me pardonnez cette suffisance ? — je faisais profession de foi en la littérature québécoise. J'ai relu ce texte hier, et il m'a fait sourire, puis un tout petit peu crier. J'affirmais que dorénavant ce qui compterait à mes yeux, c'était ce qu'écriraient mes collègues écrivains québécois. Je déplorais mon attitude passée, que je jugeais trop exclusivement tournée vers Paris. Quelle naïveté encore ! Et quelle rouerie surtout ! Ma démarche d'alors me paraît aujourd'hui racoleuse. Je voulais vraiment me rapprocher de notre communauté écrivante, moi l'individualiste. Comme dit l'autre dans le charabia qui doit être encore à la mode, je voulais m'inscrire dans le « projet québécois ». Vous savez que pendant cette année 1970, l'année de l'octobre historique, je n'ai lu que deux livres publiés au Québec ! Je l'ai vérifié dans le cahier où j'inscris au fur et à mesure mes lectures. À deux exceptions près, tous les livres consignés avaient été imprimés à Paris. Mes lectures étaient italiennes, américaines, sud-américaines d'origine, mais elles étaient des produits parisiens.

Je n'aime pas ce texte de *Liberté* parce que j'y sens une contrainte que je me suis moi-même imposée. Comme si j'avais eu honte d'avoir des goûts qui me portent vers des littératures autres que la mienne. À l'époque, on appelait cela être colonisé. Tout ce que je réponds maintenant, c'est que je n'y peux rien. L'oeuvre de Jacques Brault, comme celle de Grandbois ou de quelques autres, me tient à coeur, mais la littérature québécoise (pas plus que la française, l'italienne ou l'américaine) ne signifie rien.

Ce n'est pas en termes de littérature nationale que le problème se pose pour moi. Il n'y a plus de temps à perdre, je vais vers ce qui me plaît, vers ce qui m'est utile pour vivre et pour écrire. Je ne vais pas faire à mes amis écrivains québécois l'injure de les lire par obligation. Il s'en trouve parmi eux qui me conviennent et j'attends leurs livres avec gourmandise. Quant aux autres, je suis résigné d'avance à passer à côté d'oeuvres peut-être importantes, mais je n'y peux rien. Ne jamais forcer son talent au risque de succomber à une vaste supercherie, celle d'une littérature qu'il faudrait aimer parce que québécoise. Je laisse cette tâche aux politiciens, aux nationalistes, aux amateurs de curiosités ethnologiques. Il m'est arrivé parfois de rencontrer des gens qui faisaient des gorges chaudes aux dépens d'un auteur qu'ils avaient eux-mêmes couronné. L'achat chez nous ne m'intéresse pas, en littérature elle me révolte. Mille fois préférable le nombril individuel au collectif, de nombril ! La plupart du temps, l'hypocrisie y trouve moins son compte.

Lorsque j'ai emménagé, il y a quelques mois, j'ai déballé cent quatorze caisses de livres. Croyez-moi, elles étaient numérotées. De ce nombre, cinq ne contenaient que des exemplaires de mes propres livres. Non, je ne suis pas radin au point de ne pas faire cadeau de mes romans à mes amis, lors de leur parution. Si j'avais une cinquantaine d'exemplaires de *Parlons de moi*, soixante du *Tendre Matin*, etc., c'est tout simplement que je les ai rachetés à vingt-cinq cents pièce à mon éditeur. On appelle cette opération — sans doute bénéfique pour les manutentionnaires de l'entrepôt du Cercle du Livre de France — « opération réalisme ». C'est-à-dire, j'imagine, que ce serait rêver que de conserver tant d'invendus. Ou encore que mes livres sont construits sur du rêve, je ne sais pas. D'autres auteurs que moi ont connu la même expérience, et il n'y a pas de quoi pleurer, mais cela vous ouvre les yeux. Mes livres sont morts, ou à peu près. Essayez de les trouver en librairie, vous m'en donnerez des nouvelles. Encore une fois, je ne suis pas seul en ce cas. Je n'accuse personne. Le problème est généralisé et mondial. La littérature se meurt. Des livres voient le jour en grand nombre, mais le rapport qu'ils ont avec la littérature est de plus en plus ténu. Ces cinq caisses, je les ai remisées sans les déballer. Mes enfants n'auront qu'à les mettre à la rue, le temps venu. On recueille les ordures ménagères deux fois par semaine à Montréal, et la situation ne devrait pas changer d'ici l'an 2000.

Si j'en juge par mes expériences passées, les lignes précédentes, dans leur courageuse morosité, devraient me valoir des consolations du genre : « Vos livres n'ont pas beaucoup marché, mais certains ont été remarqués, vous avez écrit pour la radio, la télévision, le cinéma… faut pas vous en faire… un jour tout ira mieux… » On ne comprend pas généralement mes beaux efforts de lucidité. De dire qu'on a échoué ou réussi ne signifie pas nécessairement qu'on sollicite des consolations ou des approbations. Et que veut dire, en écriture, réussir ? Rien mais vraiment rien ne m'horripile autant que ces approches dégoulinantes de prévention. Je ne refuse pas l'achat chez nous pour accepter l'achat chez moi.

Le seul progrès notable que j'aie accompli depuis cette époque où je me répandais en témoignages, c'est que je ne veux plus rendre de comptes à personne. Je le répète, à personne. Bien sûr, je vais continuer à parler de moi, incorrigible bavard, ouvrier de l'introspection, etc. À la différence que je ne me justifierai de rien. J'ai préféré écrire sur mes émotions intimes plutôt que de me tourner vers la société qui m'entoure. Cette décision ne regarde que moi. J'affirme, je constate que mon oeuvre aboutit pour l'instant à un échec relatif, qu'elle n'a trouvé que peu de lecteurs. Mais je ne ressens aucun remords ni aucune gêne devant cette option qui s'est offerte à moi aux premiers jours de l'écriture. Finie, la mauvaise conscience paralysante. Carlos Fuentes, que j'ai rencontré une heure ou deux pour des raisons professionnelles et à qui je parlais de la terreur qu'exercent sur la littérature française d'aujourd'hui les théoriciens, me répondait que ceux qui se laissent ainsi terroriser auraient peur de n'importe quoi de toute façon. J'ai eu peur d'à peu près n'importe quoi. Dorénavant, je vais m'efforcer d'être plus brave. Et c'est pourquoi je reviens sans cesse à mon nombril. Non, je ne le quitterai plus. Je le scruterai avec une patience infinie, je me pencherai sur mes moindres replis, j'y promènerai au besoin une loupe, et si le bon peuple ne peut parvenir à le trouver intéressant, ce sera tant pis pour nous deux... ou nous trois. Il reste peu de temps pour essayer de voir clair un tant soit peu dans le mystère de la vie, pour trouver des raisons de prospecter le néant, et cette option ne m'empêche pas de vivre au Québec et d'aimer/détester les gens qui vous entourent. Quand arrivera le jour de ma mort, nous serons au même point, mon nombril et moi, mais le cheminement aura été droit.

(janvier 1977)

MURMURES

« ... j'écris avec un crayon. Un vieux bout de crayon, trouvé dans une vieille boîte, par hasard. Je l'ai taillé bien pointu et sur le peu de papier blanc qui me reste ce soir, j'écris. »

Dino Buzzati

J'aurai quarante-cinq ans dans deux mois. Que la vie soit absurde, vide de significations durables, c'est pour moi une certitude qu'il n'est même plus question de mettre en doute. Aux moments les moins stables de ma vie, j'entends surtout les périodes pendant lesquelles je me suis perdu dans l'amour ou dans la création littéraire, j'ai toujours eu en mémoire l'idée du néant. Depuis quelques années, les choses se sont plutôt gâtées. Je n'ai même plus de raisons politiques d'espérer. Le bonheur des générations futures est un leurre si grotesque que je comprends mal que j'aie pu y croire pendant une dizaine, une quinzaine d'années. L'angoisse d'être est si totale, si révoltante que toute idée de révolution est superficielle et dangereuse. Si je me mettais à croire à quelque chose — ce que je ne souhaite pas —, c'est à l'anarchie que je croirais. Pour l'instant, je ne veux pas qu'on me distraie de l'idée de la mort. J'ai accueilli cette idée en moi, je lui ai fait une place, c'est l'unique moyen d'échapper à l'angoisse.

Vers ma dix-septième année, je me suis mis à répandre autour de moi quelques calamités au sujet de mon père. Me venait en même temps que le goût des lettres celui de devenir person-

111

nage de roman. De la gêne qui avait toujours teinté nos rapports, je faisais une affaire hors de proportion. Le thème de l'incommunicabilité s'incarnait en nous. Ma vie était trop terne, je sentais le besoin de l'animer. Plus tard, j'ai écrit sur mon enfance. De ces pages, que je n'ai pas relues, doit émerger la figure d'un être monstrueux, que mon père n'était pas. Il me terrorisait, m'ennuyait, me semblait vulgaire parfois (combien de fois ne suis-je pas blessé pourtant de me retrouver dans certaines de ses attitudes ?), mais je sais maintenant qu'il aurait souhaité que nos rapports fussent autres. Je ne suis pas de ceux qui croient que l'amour paternel va de soi, mais j'ai un peu honte d'avoir été si maladroit, de ne pas avoir franchi notre réserve quand il en était encore temps. Quant aux écrits à son sujet, je ne crois pas vraiment qu'ils comptent dans la balance, puisqu'il ne les a pas lus.

Je vis entouré de livres. Dans ce bureau, où j'écris ce soir, je suis vraiment envahi. J'aime ce compagnonnage. Il est fini pourtant, le plaisir de la découverte. Certes, je lis avec volupté. Les mots me sont toujours occasion de jouissance. Alors que les idées me semblent presque toutes aussi valables les unes que les autres, les phrases, leur agencement, leur rythme, leur liberté me transportent de joie. Oui, je lis, et avec gourmandise, mais où donc est passé ce tressaillement que j'ai ressenti à la lecture de *La Peau de chagrin*, à l'été de 1950 ? Qu'elle semblait longue la vie alors et immenses les avenues qui s'ouvraient à moi ! J'écrirais des livres et des livres, mes nuits d'écriture seraient fécondes et nombreuses, je serais un *créateur*. Je viens de terminer ces quelques lignes, je m'y suis pris par trois fois, je suis courbaturé. Il est près de onze heures, je crois bien que je vais aller dormir.

Mon fils de seize ans et moi, nous causons souvent. Je suis un père aimé et aimant. Les conversations que je n'ai pas eues avec l'autre, je les aurais ? Pour l'heure, je les ai.

Il m'est arrivé d'être veule. Combien de fois dans ma vie ? Je ne veux pas les compter. Parfois, en songeant à une situation donnée, j'ai quelques tressaillements. Bien vite, je pense à toutes ces tortures que je me suis infligées en même temps que je blessais les autres. C'est ma façon de vivre avec moi-même dans une paix bien relative.

Il y a je ne sais quoi de mesquin dans le caractère québécois qui m'exaspère au plus haut point. Cette satisfaction de soi vite atteinte, cette façon d'être médiocre avec suffisance. En serais-je si touché si je n'en remarquais en moi les traces les plus évidentes ? Car québécois je le suis dans toute mon humiliation en même temps que toute ma fierté. Mes frères, ceux qui nous tiennent d'autres discours ne sont que des lilliputiens boursouflés.

Seigneur, donnez-nous le courage de vivre comme si nous croyions à l'enthousiasme ; donnez-nous la grâce de vivre notre néant dans des élans de création libératrice. Puissions-nous nous aveugler jusqu'au tourbillon final !

Je t'ai aimée, je t'aimerai au-delà de la mort, mais ne me demande pas de croire que notre équipée avait un sens. Notre tendresse, ces marques de sollicitude que nous avions l'un pour l'autre n'auront été que des haltes successives avant le cri atroce.

Il me coûtait jadis de constater chez moi certains manques. Je les remarque toujours, à peine se sont-ils transformés. Mais je me suis fait à eux, je les regarde même parfois avec une certaine condescendance. Le temps aidant, tout devient touchant, les jeunes imbéciles deviennent de vieux idiots que guettent tant de gouffres.

Vous avez déjà pratiqué le vol à l'étalage ? Moi si. Très brièvement. Expérience atroce. On ne sait jamais si l'autre ne vous a pas vu. S'il vous attrapait ? Ne pourrait-il pas alors se conduire envers vous comme un père vengeur ? Ne suffit-il pas de sortir son porte-billets ?

Pourquoi j'écris ? Lorsqu'il m'arrive de me livrer à cette activité, après des semaines de rêveries, c'est pour m'adresser à voix basse à des inconnus qui, j'en suis sûr, ne m'entendront qu'à moitié. Cette demi-mesure m'étonne et me ravit. Il pourrait bien, après tout, n'y avoir personne.

Je ne crois pas qu'il soit si passionnant d'écrire. La folie de la création, d'accord. Les heures suspendues, le crépitement saccadé de la machine, rien de tout cela ne me fera oublier les retombées toujours décevantes : relectures du lendemain, corrections d'épreuves, petits remous de la publication qui agonisent très rapidement, surtout l'indifférence généralisée. Le succès venant, ce doit être bien pire, toutes ces inanités qu'on doit supporter pour avoir droit au titre bien fragile d'écrivain « capital ».

On parle beaucoup de modernité à notre époque. Ce qui ne serait pas moderne serait caduc. Comme si une partie importante de l'oeuvre de Joyce ou de Kafka, par exemple, n'était pas morte. Puisque tout meurt. Et que l'idée de modernité, l'idée de révolution, toute idée n'est que le fruit de l'air du temps. Pourquoi ne pas parler de pérennité ? Ce n'est pas qu'en 1948 que l'homme était « existentialiste ». Il l'a toujours été. Comment pouvait-il en être autrement ? Le reste appartient au mouvement des idées, comme ils disent, c'est-à-dire à peu de choses. Des impressions qui me viennent, comme cela, devant ces incorrigibles sanctionneurs des moralités littéraires, les théoriciens.

Les êtres que vous rencontrez sont si mystérieux, si imperméables qu'il faut se surprendre que l'on parle d'autre chose que de cet insondable-là. Il n'y a que des esprits superficiels, pour ne pas dire bourgeois, qui ne parlent que de luttes de classes, etc. Ce qu'il faut de bien-être intérieur pour s'intéresser à des idées aussi abstraites.

S'habituer à suivre sa voie sans prêter trop d'attention à ce qui se déroule autour de soi. Ne pas craindre d'être nombriliste. Peut-être est-ce de cette façon qu'on peut le moins heurter les autres.

Cette femme à la lèvre boudeuse qui rêve devant une montre de magasin pourrait entrer dans ma vie. Elle me demanderait un renseignement, je le lui donnerais, ajoutant une plaisanterie en apparence anodine. Peut-être aurait-elle, ce jour-là, un peu de tristesse dans le regard. Et nous en serions quittes pour des mois et des mois de haine.

De ma table de travail, je vois un camion-roulotte. Combien de fois, l'été, n'ai-je pas repoussé ma machine à écrire à cause de l'appel au voyage que constituait cette remorque ? Pourtant, rien ne me rebute plus sûrement que le mode de vie qu'elle suppose. Je suis là, rêveur, moi qui rentre justement de voyage, qui viens à peine d'embrasser ma femme et mes enfants après trois semaines d'une séparation qui m'a semblé longue.

La fascination qu'exercent sur moi les langues étrangères. Pourtant, à l'heure de ma mort, je n'aurai réussi qu'à converser de façon à peine convenable en anglais. Tout ce temps à lire des livres, à écouter de la musique, à rêver. Mais à quoi servirait de parler l'italien ou l'espagnol sinon à lire, à comprendre les paroles d'une chanson ou à rêver ?

Pendant longtemps j'ai été préoccupé par l'opinion que pouvaient avoir de moi les gens que je rencontrais. Il me reste encore beaucoup de cette stérile préoccupation, mais j'ai peu à peu compris qu'il était inutile que je me fasse une montagne de l'avis de lecteurs de journaux, de passionnés de politique, d'amateurs de sport, etc.

Il m'arrive de croire que l'amour est un sentiment néfaste et que nous, humains, pouvons à peine nous payer le luxe d'une tendresse permanente.

Peu de choses m'horripilent autant que les discours nationalistes, de quelque nation qu'ils soient. Ils ne sont jamais libérateurs ; tout juste s'ils parlent d'un emprisonnement collectif déguisé sous le vocable de fierté.

La vie ne serait pas supportable si on se mettait à vivre vraiment avec les morts. Le temps nous aide qui mine, en même temps que notre corps, notre mémoire. Tant mieux si le souvenir d'un homme en détresse se confond avec celui d'une veste achetée en solde à l'automne de 1962. Autant de pris sur ce mauvais mélodrame qu'est la vie.

Il a une pensée que l'on dit généreuse. Aussi bien dire qu'il veut votre bien. Méfiez-vous !

En voyage, je me sens un peu visiteur de moi-même. Les gens rencontrés, les conversations auxquelles je suis mêlé, rien n'a l'air tout à fait vrai. Cette vie sans la vie me plaît beaucoup, j'aime être touché du bout de l'aile par les choses. Dans une chambre d'hôtel même sinistre, le temps semble suspendu. Comme si j'obtenais un sursis.

J'aurai été un écrivain ambitieux. Je me revois marchant le long de la rue Laurendeau, dans le quartier de la Côte-Saint-Paul, songeant à ces livres que j'écrirais. Je ne pensais qu'à la revanche que je prendrais sur ce présent si terne. À nous deux, Outremont ou Paris, je ne le savais pas au juste, mais je savais que je valais bien les médecins ou les avocats, clients de l'épicerie où je travaillais et qui planaient avec une superbe si médiocre. Ah ! la belle épaisseur des petits-bourgeois d'alors ! D'une sottise à peupler tous les Miami de la terre. Perdu dans ce monde de tous les jours, enivré de cette culture que je découvrais, me voulant « autre » à tout prix, ce que je pouvais les juger ! Maintenant que je suis, à mon tour, un petit-bourgeois, certes moins à l'aise qu'eux, que j'ai fait mon deuil de toute conquête (à nous deux, qui ?), j'ai assez de conviction pour écrire ces propos amers.

L'idéal quand on lit, c'est de tout oublier. Savoir que dans un certain livre se trouve un ton, qu'on va être étonné, émerveillé, ému à coup sûr, qu'on va sourire, qu'on va connaître un plaisir sans retenue. Le savoir pendant des années, se retenir d'aller vérifier, puis un jour risquer un oeil, pour voir. Et ne pas être déçu. La grande joie alors qui nous emplit, que n'a certes pas connue l'auteur du livre.

Quel spectacle pitoyable que celui de la vanité littéraire. J'en ai parfois sous les yeux des exemples tristes à mourir. Un auteur prétentieux, un auteur qui n'a jamais idée qu'on doive s'excuser d'avoir écrit, ressemble à une femme qui ne cesse de parler de la fermeté de ses seins. Je débande alors illico.

Il passe devant ma porte, tenant un lévrier afghan en laisse. Se comporte comme si tout son honneur de vivre s'était incarné dans ce chien. Combien d'années me reste-t-il à vivre cela ?

Quand on me pose la question : « M'aimes-tu ? », je me sens coupable. Je m'en veux de ce reproche qu'on me fait. Et du coup, je n'aime plus. Pour quelques instants.

Je n'ai pas gardé tellement de mauvais souvenirs de l'éducation religieuse que j'ai reçue à l'école. Beaucoup de mes amis ont été marqués à jamais. Enfant, j'avais une piété très active, je me souviens du reste avec émotion de messes entendues tôt le matin, de ces vieilles qui se préparaient à mourir en murmurant les paroles de quelque litanie. Je n'avais de pensées que pour la Sainte Vierge. Dieu ? Aucune présence réelle, j'ai toujours eu une horreur instinctive de l'autorité. À l'adolescence, j'ai très vite évolué hors du monde des interdits. Mon anticléricalisme même a fait long feu. J'avais des prêtres comme conseillers spirituels parce que c'était la règle. Avec les plus intelligents d'entre eux, je parlais de littérature. Pour éviter d'être ennuyé, je leur cachais mes lectures de Sartre ou de D.H. Lawrence. Ceux qui vingt ou trente ans plus tard se plaignent de l'emprise exagérée des prêtres me font rire un peu. Il suffisait de passer outre à la consigne. Je ne pensais alors qu'à une chose, écrire, et je n'aurais pas laissé un homme qui avait les pensées tournées vers le ciel me poser un bâillon.

Il y a longtemps que je ne lis plus que pour découvrir comment un auteur se débrouille avec le sentiment de la mort. Je lis du bout des yeux les auteurs optimistes. J'aime que Flaubert dans son *Dictionnaire des idées reçues*, dise qu'« optimiste » équivaut à « imbécile ». Quiconque n'est pas révolté par notre situation d'humains mortels (ou qui n'a pas dépassé cette révolte) me paraît sans intérêt. À moins qu'il ne soit un styliste hors de pair. Mais les imbéciles écrivent assez mal, en règle générale.

La musique a occupé une grande place dans ma vie. À la paresseuse. Ne disposant d'aucune connaissance technique, de plus en plus malheureux de cette situation, j'aurai puisé dans la musique des joies incalculables. Le jazz surtout a compté. J'ai traqué dans cette musique tout ce qui y est sensualité, angoisse, mélancolie, gouffres, innocence, roublardise. Je sais la plupart des pièges qu'elle me tend, j'aime ses séductions. L'intérêt que je lui porte n'est pas toujours exempt de complaisance, mais j'ai depuis longtemps renoncé à la combattre. Quelques musiciens de jazz auront contribué à former un monde intérieur, une forteresse, se joignant ainsi à des écrivains, des peintres, etc. Je ne peux imaginer qu'un jour je devrai quitter tout cela.

On sonne à la porte. Deux jeunes filles s'annoncent comme étant témoins de Jéhovah. Pour couper court, je réponds sottement que je ne suis pas intéressé. Pas intéressé à entendre quelqu'un qui me parle de cette immense supercherie. Nous sourions de part et d'autre, la porte se referme, je retourne à ma table de travail, il fait très beau, la promenade au grand air sera excellente pour le teint de ces jeunes filles.

Jamais je ne me ferai aux visages fermés, voire hargneux, qui peuplent nos vies quotidiennes. Je fuis comme la peste les regards condescendants, les sourires mielleux, les courbettes, mais je n'aime pas qu'on me fasse sentir que je suis de trop. L'excuse du travail mal rémunéré, de la fatigue, etc., est de peu de poids. On vit tous en enfer, non ?

Ce n'est pas tellement la mort physique, la souffrance, la dégradation du corps que je crains. Je n'y pense à vrai dire jamais. Bien plus terrible me semble l'effet du temps. L'irrémédiable de toute cette machine qui s'abat sur nous, ce que nous sommes, ce que nous faisons. Nous ne savons jamais ce que deviendront les êtres que nous venons de quitter. Plus intime est la communication que nous avons avec les autres, plus terrible est le déchirement de la solitude. Et nous ignorons tout de la personne que nous allons retrouver. Serons-nous quand même un peu au même diapason ? Parlerons-nous le même langage, cet idiome bizarre qui nous permet de nous effleurer ? Si l'absence seule était au prochain rendez-vous.

Je me suis laissé entraîner dans l'aventure de la paternité. Je croyais — et je crois encore — que la vie humaine dans toute son absurde ténacité doit être empêchée. Pourtant, nulle joie n'aura égalé celles que m'auront procurées mes enfants. Au début de la trentaine, j'ai parfois ressenti le malaise un peu ridicule de me voir privé de ma liberté. N'ayant pas eu une adolescence très heureuse, il me semblait que les années qui fuyaient emportaient avec elles les quelques promesses de bonheur qui me restaient. Ce malaise a disparu depuis longtemps. Puisque ne reste aucun espoir de libération. Libération de quoi ? Je me vois maintenant, et m'accepte, comme le père comblé d'enfants qui mourront comme moi et qui perpétueront la chaîne de l'ignominie.

J'ai toujours été réfractaire aux modes. D'aussi loin que je me souvienne, j'ai tenu à être en marge. Et pourtant, à quelles fariboles para-politiques n'ai-je pas succombé, il y a à peine dix ans ! Le fond était le même, j'ai assez peu changé par rapport à l'adolescent que j'étais. Je dis tout de suite que j'aime cette constance. M'aura manqué parfois une ouverture d'esprit, un goût du risque, un courage plus évident. Je ne prends le train que lorsqu'il en est à sa deuxième station, si je le prends. Autrement, je préfère marcher ou rester à la maison.

Depuis à peine trois ou quatre ans, j'accepte d'être un petit-bourgeois. Tout petit. Pas fier, allez ! Mais j'ai cessé d'entretenir cette mauvaise conscience ridicule qui me paralysait.

Tant qu'il y aura des affamés sur terre, j'aurai toujours honte de la bouchée de pain que je prendrai. Mais jusqu'à mieux informé, je crois que les régimes qui promettent le bonheur sur terre aux générations futures s'inspirent d'idéaux tout aussi fumeux que les religions qui évoquent une vie éternelle dont elles ne savent rien.

Je me comporterai dorénavant comme quelqu'un qui a fait entrer la mort dans sa vie. Je ne suis pas « pessimiste » comme on me l'a dit tant de fois. Si j'écris que la mort est entrée dans ma vie, j'entends que j'agis exactement comme si j'étais déjà mort. C'est ma seule façon d'accepter de mourir, me survivre, garder en moi un tout petit coin de paix. Autrement, vais-je me révolter jusqu'à la soixantaine, en craignant l'échéance? Je ne veux pas non plus de ces amours qui vous déchirent, de ces espoirs qui sont toujours des leurres. Mon destin sera d'entrer le plus doucement possible dans la mort pour en savourer, pendant qu'il en est encore temps, toute la volupté. Se protéger ainsi contre l'irrémédiable, puis regarder, en se moquant un peu, la vie qui se détache de soi.

Ne jamais être comme ces horribles vieillards qui ont la fierté du vieil âge et qui s'imaginent qu'ils ont la sagesse. Quelle sagesse ? Bien se dire, quand on est vieux, que le jeu est terminé. S'en souvenir, l'écrire partout pour ne pas se donner en spectacle.

On dit de vous que vous avez de l'humour. Vous ne vous prendriez pas au sérieux, vous n'auriez pas de prétention, etc. Les imbéciles, ils ne s'imaginent tout de même pas que vous n'avez pas vu leurs manigances, la hâte qu'ils ont de profiter de votre détachement !

Je pourrais écrire que je ne crois plus qu'aux livres qui font mal. Je les traque en toute ferveur, c'est vrai. Mais il serait exagéré de dire que je m'en contente. Il me faut aussi les textes incisifs, ironiques, écrits d'un seul envol, sans fioriture, sans flou romantique, sans mysticisme. J'aime aussi la prose paresseuse, avare d'épithètes mais qui sait se payer le luxe d'un baroque de bon aloi. En ce domaine, je suis assez capricieux, plus près de Léautaud et de Stendhal que de Gracq. Ne me parlez surtout pas de charabias à la mode. Je ne m'y entends guère, ce sont pour moi propos de charlatans.

Il m'est arrivé quelques fois de révéler un secret bien gardé, une vérité qui me faisait un peu mal, à des gens qui ne m'écoutaient pas avec la qualité d'attention que j'aurais souhaitée. Petit à petit, je me suis habitué à dévoiler assez aisément des détails personnels, toujours les mêmes et de peu de conséquence, au premier venu ou presque. J'ai acquis ainsi la réputation d'être un homme plutôt ouvert, un homme qui ne cherche pas à se présenter sous des dehors trop flatteurs. Mais pour l'essentiel, je suis muet, je sais maintenant qu'il faut se taire. Les autres sont trop occupés pour prêter l'oreille à vos secrets. Arrive toujours quelqu'un que vous jugez digne de ces confidences et qui parfois se montre à la hauteur.

L'image qui me revient le plus volontiers de mon enfance est très triste. Des enfants plus vieux que moi ont mis sur pied une fête. On me refuse l'entrée, je ne sais pour quelle raison. Je me souviens d'être revenu chez mes parents en larmes, sous un soleil de plomb. Souvent dans ma vie, soleil et tristesse se sont conjugués. À vingt ans, j'ai connu quelques mois de dépression. C'est en plein jour, et par beau temps, que me semblait plus pénible ma situation. Il aura fallu que je vieillisse, que je renonce en quelque sorte à la vie en faveur de la mort pour que je me réconcilie un peu avec la vie à l'extérieur. Autrement, pour moi, le soleil ne convenait qu'à ceux qui croyaient que le bonheur existait, qui étaient bien dans leur peau, race qui m'a toujours fait horreur.

Depuis à peu près deux ans, l'arthrite me fait souffrir. Les mois d'été surtout, j'ai des douleurs aux jambes, je marche parfois avec peine, etc. Le côté merveilleux de tout cela, c'est que, lorsque je suis à ma machine à écrire, la douleur physique que je ressens me fait presque croire que je suis un martyr de l'écriture. De là à m'imaginer que je suis parvenu à triompher d'une maladie incurable par ma volonté, il n'y a qu'un pas, que je finirai bien par franchir, un jour !

Lorsque j'ai la chance d'être en présence d'un ami, je ne vois pas pourquoi je lui parlerai de politique ou d'esthétisme littéraire. Je n'ai plus rien à dire sur ces sujets. Non, ce que je souhaite, c'est que nous soyons tous les deux bien à notre aise, que nous réglions rapidement les petits problèmes quotidiens pour en arriver à l'essentiel. Depuis notre dernière rencontre, qu'en est-il de son malaise à vivre, de cette angoisse fondamentale ? Je sais que je ne l'aiderai pas à guérir, peut-être nous soutiendrons-nous un peu ? Peut-être.

Quand nous revenions d'une balade en auto, le dimanche après-midi, je souhaitais ardemment que mon père se dirige vers Verdun. Un virage à gauche, c'était une soirée de liberté chez ma grand-mère maternelle, la gaieté générale. À droite, c'était le retour à la maison, la règle de l'obéissance. Chaque dimanche, reprenait le même dilemme. Bien des années plus tard, je ne puis emprunter le boulevard La Vérendrye sans ressentir un pincement de coeur.

Il y a presque deux ans, j'ai connu une période de congé. Six mois de retraite totale. Enfin je pourrais écrire à volonté, lire comme je l'entendais. Le doux farniente me serait-il possible, à moi, travailleur acharné? Mes amis n'en étaient pas tellement sûrs. Je leur avais bien interdit de me téléphoner. Je voulais la paix. Les premiers jours, j'ai pris possession de ma salle de travail. Comme je venais d'emménager, il me fallait, comme un chat, délimiter mon territoire. Ma table de travail était encombrée de dictionnaires, je ne faisais que les consulter. Il est plus facile de vérifier l'orthographe de « labyrinthe » que d'écrire. J'ai rangé ailleurs mes Larousse. Les rayons de ma bibliothèque contenaient des livres que j'avais à peine feuilletés. Je les ai lus. Après deux semaines de ce régime, je me suis mis à ressentir un peu de culpabilité. Les enfants allaient à l'école tous les matins, ma femme se rendait au Ministère, de quel droit pouvais-je me réclamer pour flâner ? Je me suis donc mis à taper furieusement. Au bout d'un mois et cent cinquante pages, je m'arrêtai. Je m'aperçus alors que mon effort forcené n'avait donné qu'un brouillon inutilisable. Je remarquai aussi que la sonnerie du téléphone ne s'était pas fait entendre depuis longtemps. On m'abandonnait. J'étais hors du monde. Apprenait-on à se passer de moi ? Tout à trac, je me suis mis à mendier des rendez-vous. Quelques-unes des personnes occupées à vivre que j'ai sollicitées, et que j'aime depuis d'un amour total, avaient du temps à me consacrer.

Par Jacques Brault, j'ai été amené à lire quelques poètes chinois de la période classique. Chaque fois, j'ai été ému par une sensibilité exquise, un sens de l'économie de l'émotion. On y est nostalgique avec pudeur, la fuite du temps s'évoque par le passage d'un oiseau. De se sentir si loin de toute démonstration intellectuelle apporte à coup sûr une grande paix. La pureté du trait, l'absence de toute fioriture décrit bien pour moi le classicisme qui me plaît presque toujours plus que le romantisme ou le baroque. Peut-être n'ai-je pas dit que Jacques Brault est un ami et qu'il sait plaire.

En jazz, j'aurai aimé les formes les plus extrêmes du *free,* débridement excessif, exagérations voulues comme telles, discours inchoatifs, ruptures, éclatements. Le délire en musique me paraît richesse, lorsqu'il est le produit d'une sensibilité profonde. En littérature, je préfère le contrôle aux excès. Singularité.

J'ai lu, vers ma trentaine, bon nombre d'auteurs du second rayon. Les petits auteurs libertins du dix-huitième dominent leur sujet, trop peut-être, mais ils contrôlent aussi parfaitement leurs moyens. Ils n'ont jamais de ces naïvetés de pensée ou de style qui vous font rejeter loin de vous la plupart des livres qu'on vous soumet. Même leurs ridicules sont voulus. Et lorsque leur échappent de ces traits vraiment trop simplistes (on vit à l'époque de la psychanalyse, etc.), je suis ébloui par leur sens de la liberté. Je parle évidemment des plus intéressants, Crébillon fils, Vivant Denon, Fougeret de Monbron, le cardinal de Bernis, etc. La littérature formaliste qui a cours en France depuis vingt ans ne pèse pas lourd à côté de ces auteurs-là. Par rapport à Flaubert, je n'en parle même pas.

Mon travail à la radio m'a permis de voyager un peu plus que je ne l'aurais fait normalement. De ces voyages commandés, j'ai retenu certains paysages, des images de villes surtout. L'agenda toujours chargé qui est alors le mien ne m'a jamais rebuté. J'aime les rencontres plus ou moins impromptues avec des écrivains à interviewer. Il ne s'agit pas alors de dialogue, presque toujours impossible, mais de questions posées. Il est assez étourdissant de voir ce qu'est l'autre, d'entendre ce qu'il dit. En l'espace de quelques années, je me serai entretenu avec plus d'une centaine d'écrivains. Parfois il s'agissait d'auteurs dont je connaissais les livres depuis des années, dans d'autres cas d'écrivains qu'il fallait deviner après une lecture très récente. Il m'est arrivé d'être impressionné, de trembler un peu avant d'aborder un romancier ou un poète. Cela se produit surtout en présence d'un homme dont j'ai connu l'oeuvre il y a très longtemps. Comme si l'admiration était l'état le plus durable. Ma rencontre avec Marcel Arland, par exemple, dans les bureaux de la Nouvelle Revue française. Mais la plupart du temps, et je m'en étonne, le timide que je suis a vécu en toute insouciance ces rendez-vous avec des écrivains mondialement connus. Tout à mon souci de ne pas paraître trop inférieur à ma tâche, j'allais à la découverte d'une personnalité, d'une oeuvre, d'une voix. Je n'ai jamais eu l'impression qu'on m'interdisait l'entrée de ce jardin intérieur que constitue toute oeuvre digne de ce nom. Comment expliquer alors que j'aie toujours été soulagé de sortir au bout d'une heure ou deux de ces mondes entrevus ? Ma timidité encore une fois, mon goût de la solitude, tout faisait que j'avais besoin de retrouver rapidement ma propre paix intérieure pour mieux jouir de l'instant que je venais de vivre. Et presque jamais non plus le désir de renouer connaissance, de maintenir des liens. Comme si, ayant l'impression d'avoir bien tiré mon épingle du jeu, je doutais de pouvoir réitérer l'exploit. On s'apercevrait de mes manques, on se sentirait envahi, etc. J'ai parfois écrit pour remercier mon hôte d'une rencontre particulièrement chaleureuse, mais il y avait dans le ton de mes lettres une volonté de distance. Je pense bien n'avoir regretté qu'une seule fois de m'être montré un peu froid. Je ne me pardonnerai jamais de ne pas avoir donné suite à une lettre très chaleureuse du poète français Georges Perros. J'aime son oeuvre depuis que j'ai lu *Papiers collés II*. C'est un livre que je relis sans cesse ou à peu près. Il est mort le 24 janvier 1978. L'an dernier, de Montréal, je lui ai envoyé une carte postale, griffonnée rapidement à une table de restaurant. Je lui disais mon admiration. Je le savais atteint d'un cancer de la gorge. Nous nous étions rencontrés à Douarnenez, en Bretagne, il y a cinq ans. Après une prise de contact presque hostile, il craignait que je ne veuille l'interviewer que pour le pittoresque de son aventure, lui le Parisien qui avait choisi depuis des années de se retirer près de la mer. De m'entendre parler de son oeuvre avec chaleur l'a peut-être réconforté un peu. Il ne devait pas avoir l'habitude des honneurs, les fuyant, faisant tout pour être à l'écart. Ses livres sont de ceux qui dérangent, parce qu'ils pèsent leurs mots, on n'y théorise pas, on ne s'y livre pas aux jeux du baroque. C'est une voix qui parle et qui a de ces exigences... L'interview s'était déroulée dans une maison désaffectée que l'on mettait à sa disposition, près du vieux port. Il s'y retirait pour écrire, pour lire des manuscrits au service des éditions Gallimard. L'immeuble allait être démoli, on atteignait à grand-peine, au deuxième, un bureau dont la propreté paraissait pour le moins douteuse. De la poussière partout, il ne cesse pas de s'excuser, explique qu'en ces lieux il peut mieux écrire qu'à la maison à cause des enfants. J'écoute ce soliloque d'homme seul, il ne m'apprend rien puisque la lecture m'a tout appris de sa vie quotidienne. Reste la voix, restent les yeux. Jamais je n'ai ressenti chez quelqu'un, que je venais de connaître, une telle chaleur, un tel désarroi qu'apaiserait pour quelques heures une visite inopinée. Il m'avait réclamé l'un de mes livres, je le lui ai fait parvenir. Une semaine plus tard, je recevais une lettre qui me prouvait qu'il avait compris ce que j'avais voulu y dire. Je n'ai pas accusé réception. Paresse, pudeur, insouciance ? Je ne sais pas. Au fond, cette situation me convient à merveille. Je peux, une fois de plus, me plaindre d'être devant une impossibilité, regretter jusqu'à ma mort de ne pas avoir écrit à Perros, pour lui prouver hors de tout doute que son oeuvre m'était essentielle et que j'échangerais beaucoup de grands livres de l'histoire de l'humanité contre les notes posthumes qu'on a publiées sous le titre de *L'Ardoise magique*. Oeuvre mineure ou non, quelle importance, puisqu'elle vous parle. Georges Perros ? Un échec de plus à mon tableau.

15 janvier 1979

TABLE DES MATIÈRES

COLLECTION *PROSE ENTIÈRE*

dirigée par François Hébert

Titres parus:

Achevé d'imprimer sur les presses de
L'IMPRIMERIE ELECTRA
(Division de Sogides Ltée)

Imprimé au Canada/Printed in Canada